D
v
bl
tr
l'œ de l'écrivain est sans conteste « *La Vie et les Aventures de Robinson Crusoé* », roman original qui le rendit célèbre et qu'il publia en 1719.

La Vie et les Aventures de
ROBINSON CRUSOÉ

Daniel Defoe raconte la vie d'un homme qu'un naufrage a jeté sur une île déserte. Il lutte pour ne pas mourir de faim. Un seul compagnon, le nègre Vendredi partage son existence difficile et périlleuse mais passionnante. Un jour, Robinson Crusoé reverra sa patrie. Mais oubliera-t-il jamais son île déserte où il connut quand même le bonheur ?

NOTRE « LIVRE CLUB » POUR LA JEUNESSE

ROBINSON CRUSOÉ

d'après DANIEL DEFOE

ILLUSTRATIONS DE OKLEY

Editions HEMMA

Je suis né en l'année 1632, dans la ville d'York, d'une bonne famille; troisième garçon de la famille, et n'ayant appris aucun métier, je commençai bientôt à rouler force projets en tête. Mon père, qui était fort âgé, m'avait donné la meilleure éducation qu'il eût pu, soit en me dictant des leçons de sa propre bouche, soit en m'envoyant aux écoles publiques; il me destinait à l'étude des lois, mais le désir d'aller sur mer me dominait uniquement. Cette inclination me roidissait si fort contre la volonté et les ordres de mon père, et me rendait tellement sourd aux remontrances et aux sollicitations pressantes de ma mère et de tous mes proches, qu'on eût pu conjecturer dès lors qu'une espèce de fatalité m'entraînait irrésistiblement vers un état de souffrances et de misère. Mon père, sage et grave personnage, me donnait d'excellents avis pour me faire renoncer à un dessein dont il me voyait entiché. Un matin il me fit venir dans sa chambre, où il était confiné par la goutte, et il me parla fortement sur mes projets. Il me demanda quelle raison j'avais, ou plutôt quelle était ma folie, de vouloir quitter la maison paternelle et ma patrie, où je pouvais avoir de l'appui, et où j'avais l'espérance d'arriver à la fortune par mon application et par mon industrie, en menant une vie agréable et commode.

Ensuite il m'exhorta, dans les termes les plus pressants et les plus tendres à ne point faire une étourderie de jeunesse, à ne point me précipiter au milieu des maux dont la nature et ma naissance m'avaient garanti; il me fit observer que je n'étais pas dans la nécessité d'aller chercher mon pain : qu'il ferait tout pour moi, et n'oublierait rien pour me mettre en possession de cet état de vie qu'il venait de me recommander. Il ajouta qu'il ne cesserait jamais de prier pour moi; mais qu'en même temps il osait m'annoncer que si je faisais ce faux pas Dieu ne me bénirait point, et qu'à l'avenir il me laisserait tout le loisir de réfléchir sur le mépris que j'aurais fait de ses conseils, sans avoir personne pour m'assister.

Je fus sincèrement touché d'un discours si tendre; pouvais-je y être insensible ? Je résolus donc de ne plus penser à mes voyages, et de me conformer aux intentions de ma famille. Mais, hélas ! cette bonne disposition passa comme un éclair; et pour prévenir désormais les importunités de mon père je formai le projet de m'éloigner sans prendre congé de lui. Néanmoins, je n'en vins pas si tôt à l'exécution, et je modérai un peu l'excès de mes premiers mouvements. Un jour que ma mère paraissait plus gaie qu'à l'ordinaire, je la pris à part : je lui dis que ma passion pour voir le monde était insupportable. Je la priai de faire réflexion que j'avais déjà dix-huit ans, et qu'il était trop tard pour entrer chez un marchand ou chez un procureur; que si je l'entreprenais, j'étais sûr de ne jamais finir mon temps, de m'enfuir avant le terme et de m'embarquer; mais que si elle voulait bien parler pour moi, et m'obtenir de mon père la permission de faire un voyage sur mer, je lui promettais, en cas que je revinsse et que je ne m'accommodasse pas de cette vie errante, d'y renoncer et de réparer le temps perdu par un redoublement de diligence.

Ma mère se mit fort en colère, et me dit que ce serait peine perdue de solliciter mon père, puisqu'il connaissait trop bien mes véritables intérêts pour donner son consentement à une chose qui me serait si pernicieuse.

Quoiqu'elle m'eût ainsi refusé, néanmoins j'appris dans la suite qu'elle avait rapporté le tout à mon père.

Ce ne fut qu'un an après que je m'échappai.

Cependant je m'obstinai à fermer l'oreille à toutes les propositions qu'on me faisait d'embrasser une profession.

Un jour donc je m'enfuis et m'embarquai. Ma vie errante commença.

Après une année de navigation, je fis connaissance d'un brave capitaine et m'embarquai sur son vaisseau qui allait aux côtes d'Afrique, ou, suivant le langage ordinaire de matelots, pour un voyage de Guinée.

J'éprouvai quelques inconvénients dans ce voyage : d'abord, je fus toujours malade, et j'eus une fièvre ardente, causée par les chaleurs excessives du climat. Notre principal commerce se faisait sur une côte qui s'étend depuis le 15e degré de latitude septentrionale jusqu'à la ligne.

Enfin j'étais devenu marchand de Guinée, mais, pour mon malheur, mon excellent ami le capitaine mourut peu de jours après notre retour. Je me décidai néanmoins à recommencer le même voyage, et je me rembarquai sur le même vaisseau, avec un homme qui la première fois en avait été le contremaître, et qui cette fois en avait le commandement. Jamais navigation ne fut plus malheureuse que celle-ci; je n'emportai, il est vrai, que le tiers de l'argent que j'avais gagné, laissant le reste entre les mains de la veuve de mon ami, laquelle en usa avec beaucoup d'équité; mais il m'arriva d'étranges malheurs. Le premier fut qu'en faisant route vers les Canaries nous fûmes surpris, à la pointe du jour, par un corsaire turc de Salé, qui nous donna la chasse avec toutes ses voiles. Sur les trois heures après-midi il fut à notre portée, et commença l'attaque; mais il fit une méprise; car, au lieu de nous prendre en arrière, comme c'était son dessein, il lâcha sa bordée sur un de nos côtés : ce que voyant, nous lâchâmes à notre tour une bordée qui le fit reculer, après qu'il nous l'eut rendue, et en faisant jouer sa mousqueterie, qui était de deux cents hommes. Cependant nos gens étaient fermes; aucun d'eux n'avait été touché. Les Barbaresques se préparèrent à renouveler le combat, et nous à le soutenir. Mais étant venu de l'autre côté de l'abordage, soixante d'entre eux se jetèrent sur notre pont, et commencèrent à jouer de la hache, coupant et taillant mâts et cordages. De notre côté, nous les recevions à coups de mousquets, de demi-piques, de grenades et autres armes, en sorte que nous les chassâmes deux fois de notre pont. Enfin, pour ne pas insister sur cette époque fatale de ma vie, notre vaisseau étant désemparé, trois des nôtres tués et huit autres blessés, nous fûmes contraints de nous rendre, et emmenés prisonniers à Salé, port appartenant aux Barbaresques.

Les traitements qu'on me fit éprouver ne furent pas si terribles que je l'aurais cru tout d'abord, et le capitaine du corsaire, me voyant jeune et agile, me garda pour sa part de prise. Un pareil changement de condition, qui de marchand me rendait esclave, me plongea dans le désespoir.

Deux ans s'étaient déjà écoulés lorsque je pus m'enfuir sur une barque en précipitant mon gardien dans la mer; je fus recueilli sur un navire portugais qui faisait route vers le Brésil.

D'abord j'offris au capitaine du vaisseau tout ce que j'avais pour lui témoigner ma reconnaissance; mais il eut la générosité de déclarer qu'il ne voulait rien recevoir de moi; qu'au contraire tout ce que je possédais me serait exactement rendu au Brésil.

Peu de jours après, le capitaine eut la bonté de me recommander à un fort honnête homme, tel qu'il était lui-même, qui avait une plantation et une raffinerie. Je vécus quelque temps dans sa maison, et je m'instruisis ainsi de la manière de planter les cannes et d'en extraire le sucre. Voyant combien les planteurs vivaient commodément, et avec quelle facilité ils faisaient fortune, je résolus, si je pouvais obtenir une licence, de m'établir dans ce pays et de devenir planteur comme les autres. En conséquence, je me pourvus d'espèces de lettres de naturalisation, en vertu desquelles j'achetai une terre qui était encore vacante, et dont je mesurai l'étendue sur celle de mon argent. Ensuite je formai un plan pour ma plantation et pour mon établissement, proportionnant l'un et l'autre aux fonds que je comptais recevoir de Londres.

J'avais un voisin portugais, qui était né à Lisbonne, de parents anglais; son nom était Wells, et ses affaires se trouvaient à peu près dans la même situation que les miennes. Je l'appelle mon voisin, parce que sa plantation touchait la mienne, et que nous vivions en fort bonne intelligence. Nous n'avions qu'un petit fonds l'un et l'autre, et nous ne plantâmes, à proprement parler, que pour notre subsistance, durant près de deux années. Au bout de ce terme, nous commençâmes à faire des progrès, et notre terre prenait déjà un bon aspect, de telle sorte que la troisième année nous plantâmes du tabac, et que nous eûmes chacun notre grande pièce de terre toute prête à recevoir des cannes l'année suivante.

Le marchand de Londres ayant converti cent livres sterling en marchandises d'Angleterre, les envoya à Lisbonne, telles qu'elles lui avaient été demandées par le capitaine, et celui-ci me les apporta heureusement au Brésil. Il y avait entre autres toutes sortes d'ouvrages de fer et d'ustensiles nécessaires pour ma plantation, ce qui me fut d'un grand secours : il les avait compris parmi les autres de son chef.

Je fus transporté de joie lorsque cette cargaison arriva, et je crus ma fortune faite. Le capitaine, qui voulait bien être mon pourvoyeur, et qui en remplissait dignement les fonctions, avait employé les vingt-cinq livres sterling, ce présent de ma bonne amie, à me louer un serviteur pour le terme de six ans; il me l'amena et jamais il ne voulut rien accepter de moi en considération de tant de services, qu'un peu de tabac de ma récolte.

Remarquez que toutes mes marchandises étant des manufactures d'Angleterre, telles que des draps, des étoffes, et autres objets peu communs estimés et recherchés dans le pays que j'habitais, je trouvai moyen de les vendre à un prix très élevé; en sorte que je portai au quadruple la valeur de ma première cargaison, et je me vis pour lors infiniment plus avancé que mon pauvre voisin.

Un jour, quelques planteurs voisins me proposèrent d'équiper un vaisseau en commun pour aller chercher des nègres sur la côte d'Afrique.

Il faut avouer que ces propositions auraient été fort avantageuses pour tout homme manquant d'établissement et n'ayant pas à cultiver une plantation qui lui appartînt en propre avec de très belles espérances et la certitude d'un bon fonds.

Mais il me fut aussi impossible de résister à leur offre qu'il me l'avait été autrefois de réprimer les désirs extravagants qui firent échouer tous les bons conseils de mon père. En un mot, je leur dis que je partirais de tout mon cœur s'ils voulaient bien se charger du soin de ma plantation pendant mon absence, et en disposer selon que je l'aurais ordonné si je venais à périr : tous me le promirent, et s'y obligèrent par contrat.

Enfin je pris toutes les précautions imaginables pour

mettre mes biens en sûreté et pourvoir à l'entretien de ma plantation.

Notre vaisseau était d'environ cent vingt tonneaux; il portait six canons et quatorze hommes, en y comprenant le maître, son garçon et moi.

Le même jour que j'allai à bord nous mîmes à la voile et nous nous dirigeâmes vers le nord, le long de la côte, dans le dessein de tourner vers celle d'Afrique, quand nous serions parvenus au 10e ou 11e degré de latitude septentrionale. Nous eûmes un fort bon temps, sinon qu'il faisait excessivement chaud.

Nous étions, suivant notre dernière estime, sous le 7e degré et 22 minutes de latitude septentrionale, lorsqu'il s'éleva un violent ouragan qui nous désorienta entièrement.

Cet orage, outre la frayeur qui en est toujours inséparable, nous coûta trois hommes : l'un mourut de la fièvre ardente, et les deux autres, dont le mousse, tombèrent dans la mer. Le vent s'étant un peu abattu sur la fin du douzième jour, le maître fit une estime le mieux qu'il put, et trouva qu'il était aux environs du 11e degré de latitude septentrionale, mais qu'il y avait une différence de vingt-deux degrés de longitude à l'ouest du cap Saint-Augustin, de sorte que nous étions jetés vers la côte de la Guyane, partie septentrionale du Brésil, au-delà de la rivière des Amazones, non loin de l'Orénoque. Le vaisseau avait été fort tourmenté et faisait beaucoup d'eau; le maître me consulta pour savoir quelle route nous prendrions et il opina pour regagner la partie orientale, d'où nous étions partis.

J'étais d'un avis tout contraire; et après avoir examiné ensemble une carte marine de l'Amérique, nous conclûmes qu'il n'y avait aucune terre habitée où nous puissions avoir du secours et qui fût plus proche de nous que l'archipel des Caraïbes, c'est pourquoi nous résolûmes de faire voile vers la Barbade, où nous espérions qu'en prenant le large, pour éviter le golfe du Mexique, nous pourrions aisément arriver en quinze jours, tandis qu'il nous était impossible de continuer notre voyage à la côte d'Afrique sans quelque assistance, tant pour le vaisseau que pour nous-mêmes.

Dans ce dessein, nous changeâmes de direction, et nous mîmes le cap au nord quart à l'ouest, afin de pouvoir atteindre quelques-unes des îles habitées par les Anglais, où j'avais l'espérance de recevoir du secours. Mais notre voyage devait se terminer autrement; car, étant dans la latitude du 12e degré et 18 minutes, nous fûmes assaillis par une seconde tempête, qui nous emporta avec la même impétuosité que la première vers l'ouest et nous écarta si loin de toute société humaine, que nous n'avions d'autre alternative que de périr dans les flots ou d'être dévorés par les sauvages et aucune espérance de revoir jamais notre pays.

Dans cette extrémité, le vent soufflait toujours avec violence et le jour commençait à paraître lorsqu'un de nos gens s'écria : « terre ». A peine fûmes-nous sortis de la cabine pour voir ce que c'était et dans quelle région du monde nous nous trouvions, que le vaisseau donna contre un banc de sable : son mouvement cessa tout à coup et les vagues y entrèrent avec tant de précipitation, que nous nous attendîmes à périr sur l'heure; nous nous serrions contre les bords du bâtiment pour nous abriter contre la violence des vagues.

Le temps parut enfin devenir moins chargé et nous reprîmes courage; mais le vaisseau était enfoncé trop en avant dans le sable pour que nous puissions espérer de l'en dégager, et notre situation était toujours aussi déplorable; car il ne nous restait plus qu'à voir si nous pourrions descendre à terre, au risque d'y périr de faim ou d'y être dévorés. Nous avions bien encore une chaloupe à bord, mais nous ne savions comment la mettre à la mer.

Notre pilote prit la chaloupe; nos gens se mirent à le

seconder et l'on parvint à la descendre à côté du vaisseau : nous nous mîmes tous dedans, au nombre de onze personnes recommandant nos âmes à la miséricorde divine. Bien que l'orage fût moins violent, la mer s'élevait encore à une hauteur considérable.

Nous nous mîmes à ramer de toutes nos forces pour gagner la terre mais avec un visage consterné, comme des malheureux qui allaient au supplice. Aucun de nous ne pouvait ignorer qu'aussitôt que la chaloupe arriverait près de la côte, elle y essuyerait des coups si rudes qu'elle serait bientôt en mille pièces. Quoi qu'il en soit, le vent nous poussant vers la terre, nous travaillions à tour de bras pour le seconder et pour hâter notre perte.

Nous ne savions nullement de quelle sorte était le rivage, si c'était du roc ou du sable, ni s'il était bas ou élevé. La seule chose qui aurait pu raisonnablement nous donner quelque lueur d'espérance était de tomber dans quelque baie, dans quelque golfe ou dans l'embouchure d'une rivière, d'y entrer par un coup de hasard et de nous mettre à l'abri du vent, ou peut-être encore de trouver une eau calme.

Après avoir ramé, ou plutôt dérivé l'espace d'une lieue et demie, une vague furieuse, semblable à une montagne, s'en vînt roulant à notre arrière : c'était nous avertir d'attendre le coup de grâce. En effet, elle fondit sur nous avec tant de furie qu'elle renversa d'un seul coup la chaloupe et nous sépara les uns des autres, aussi bien que du bateau; dans le moment nous fûmes tous engloutis.

Quoique je nageasse fort bien, je ne pus cependant me dégager assez pour respirer, jusqu'à ce que la vague m'ayant poussé ou plutôt emporté bien avant vers le rivage, elle se brisa et me laissa presque à sec et à demimort. Voyant la terre plus proche de moi que je ne l'aurais cru, j'eus assez de présence d'esprit et de force pour me lever sur mes jambes, m'en servir le mieux que je pus, et tâcher d'avancer du côté de la terre, avant qu'une autre vague revînt et me saisît. Mais je reconnus bientôt qu'il m'était impossible d'y réussir; car, regardant par-derrière, je vis la mer s'avançant sur moi, haute et furieuse, comme un ennemi redoutable avec lequel je ne pouvais me mesurer. Tout ce que j'avais à faire, c'était de retenir mon haleine et de m'élever autant qu'il m'était possible au-dessus de l'eau; de cette manière je pouvais nager, conserver la liberté de ma respiration et voguer vers le rivage. Ce que je craignais le plus, c'était que le flot, après m'avoir poussé vers la terre en venant, ne me rejetât ensuite dans la mer en s'en retournant.

Enfin une vague monstrueuse me porta vers le rivage.

Je tournais les yeux du côté du vaisseau échoué, mais la mer était si écumeuse et si courroucée et il se trouvait à une distance si grande, qu'à peine pouvais-je le distinguer; à cette vue je m'écriai : « Grand Dieu ! comment est-il possible que je sois venu à terre ! ».

La nuit venant, je grimpai sur un arbre pour éviter les bêtes féroces et, épuisé, m'endormis profondément. Il faisait grand jour quand je m'éveillai : le temps était clair, la tempête dissipée et la mer était aussi tranquille qu'elle avait été agitée la veille.

Dès que je fus descendu du logement que je m'étais choisi dans l'arbre, je regardai encore autour de moi et la première chose que je découvris fut la chaloupe, que le vent et la marée avaient jetée sur la côte, à environ deux milles de moi, à main droite. Je marchai le long du rivage aussi loin que je pus, pour aller jusque-là; mais je trouvai un bras de mer d'environ un demi-mille de largeur entre moi et la chaloupe, tellement que je retournais sur mes pas, laissant la chose pour cette fois, parce que mes désirs se tournaient bien plus du côté du vaisseau, où j'espérais trouver de quoi fournir à ma subsistance.

Un peu après midi je vis que la mer était fort calme et

la marée si basse que je pouvais avancer jusqu'à un quart de mille du vaisseau : et ce fut un renouvellement de douleur, car je voyais clairement que si nous fussions restés à bord, nous serions tous venus heureusement à terre et je n'aurais pas eu le chagrin de me trouver, comme j'étais alors, dénudé de toute consolation et de toute compagnie. Il faisait une chaleur excessive; je me dépouillai de mes habits et me jetai dans l'eau. Quand je fus arrivé au pied du bâtiment, je trouvai plus de difficulté à monter sur le tillac que je ne m'y étais attendu : il reposait sur terre, mais il était hors de l'eau d'une grande hauteur et il n'y avait rien à ma portée que je puisse saisir. J'en fis deux fois le tour à la nage; la seconde fois j'aperçus un bout de corde qui pendait de l'avant et que je m'étonnai de n'avoir pas vu d'abord; je m'en saisis avec beaucoup de peine et par ce moyen je grimpai sur le gaillard. On pense bien que la première chose que je fis fut de chercher partout et de voir ce qui était gâté et ce qui était intact. Toutes les provisions du vaisseau n'avaient nullement souffert de l'eau : comme j'avais grand appétit, j'allai à la soute, et me mis à en manger tout en m'occupant à d'autres choses, car je n'avais pas de temps à perdre. Je trouvai du rhum dans la chambre du capitaine et j'en bus un coup, j'avais grand besoin de ce cordial pour m'encourager à supporter les souffrances qui me restaient à essuyer.

Nous avions à bord en réserve plusieurs vergues, un ou deux mâts de perroquet et deux ou trois grandes barres de bois; je pris la résolution de les mettre en œuvre, je les lançai hors du bord après les avoir séparément attachés à une corde, afin qu'ils ne dérivassent point. Cela fait, je descendis sur le côté du bâtiment et les tirant à moi, j'attachai quatre de ces pièces ensemble par les deux bouts, le mieux qu'il me fut possible, donnant à mon ouvrage la forme d'un radeau.

Ensuite, après avoir bien considéré ce dont j'avais le plus

besoin, je commençai par prendre trois coffres de matelots, dont j'avais forcé les serrures pour les vider et je les descendis avec une corde sur mon radeau. Dans le premier je mis des provisions. Quant à la boisson, je trouvai plusieurs caisses de bouteilles appartenant à notre capitaine et parmi lesquelles il y avait quelques eaux cordiales : vingt-quatre d'entre elles contenaient du rack; je les arrangeai séparément, parce qu'il n'était pas nécessaire ni même possible de les mettre dans le coffre. Après avoir longtemps cherché, je trouvai enfin le coffre du charpentier; ce fut un trésor pour moi mais un trésor beaucoup plus précieux que ne l'aurait été un vaisseau chargé d'or : je le descendis et le posai sur mon radeau tel qu'il était, sans perdre de temps à regarder dedans, car je savais en gros ce qu'il contenait.

La chose que je désirais le plus après celle-là, c'étaient des munitions et des armes. Il y avait dans la chambre du capitaine deux fusils fort bons et deux pistolets; je m'en saisis d'abord, ainsi que de plusieurs cornets à poudre, d'un petit sac de plomb et de deux vieilles épées rouillées. Je savais qu'il y avait quelque part trois barils de poudre, mais j'ignorais en quel endroit notre canonnier les avait serrés. A la fin pourtant je les déterrai, après avoir visité coins et recoins.

Je trouvai encore deux ou trois rames à moitié rompues, dépendant de la chaloupe, deux scies, une besaiguë, avec un marteau, sans compter ce qui était déjà dans le coffre du charpentier; j'ajoutai le tout à ma cargaison, puis je me mis en mer. Mon radeau vogua très bien l'espace d'environ un mille; seulement je m'aperçus qu'il dérivait un peu de l'endroit où j'avais pris terre auparavant; ce qui me fit juger qu'il y avait un courant d'eau et j'espérai trouver une baie ou une rivière qui me tiendrait lieu de port, pour débarquer ma cargaison.

La chose était comme je l'avais imaginée : je découvris

vis-à-vis de moi une petite ouverture de terre, vers laquelle je me sentais entraîné par le cours rapide de la marée.

Une demi-heure plus tard j'abordai heureusement au rivage.

La première chose que je fis après cet heureux débarquement fut d'aller reconnaître le pays et de chercher un lieu convenable pour ma demeure, ainsi que pour serrer mes effets, et les mettre en sûreté contre tout accident. Il n'y avait pas plus d'un mille de cet endroit à une montagne très haute et très escarpée, dont le sommet dominait une chaîne de plusieurs autres montagnes situées au nord. Je pris un de mes fusils et un de mes pistolets, avec un cornet de poudre et un petit sac de plomb; armé de la sorte, j'allai à la découverte jusqu'au haut de cette montagne, où, étant arrivé avec beaucoup de fatigue et de sueur, je vis combien ma destinée était déplorable; je reconnus que j'étais dans une île, entourée partout de la mer, sans pouvoir découvrir d'autres terres que plusieurs rochers fort éloignés de là.

Je trouvai de plus que l'île où je me voyais enfermé était stérile, et j'avais tout lieu de croire qu'il n'y avait point d'habitants, sinon, peut-être, des bêtes féroces.

Je revins à mon radeau, et me mis à le décharger. Ce travail m'occupa le reste du jour, et lorsque la nuit vint je ne savais que faire de ma personne, ni quel lieu choisir pour prendre du repos, car je n'osais dormir à terre, craignant que des bêtes féroces ne vinssent me dévorer. Je me suis convaincu qu'il n'y avait rien de pareil à craindre.

Je me barricadai le mieux que je pus avec les coffres et les planches que j'avais amenés à terre, et je me fis une espèce de hutte pour me loger au moins cette nuit-là.

Je me figurais alors que je pourrais encore tirer du vaisseau bien des choses qui me seraient utiles, particulièrement des cordages, des voiles, et autres objets qui pourraient se transporter à terre. Je résolus donc de faire un autre voyage à bord si je le pouvais. Alors je tins conseil pour savoir si je retournerais avec le même train; mais la chose ne me parut pas praticable.

Je me rendis au bâtiment, et j'y préparai un second train. L'expérience que j'avais acquise dans la fabrication du premier m'ayant rendu plus habile, je fis celui-ci moins lourd, et me gardai bien de le surcharger. Je ne laissai pourtant pas d'emporter plusieurs choses qui me furent très utiles : premièrement, je trouvai dans le magasin du charpentier deux ou trois sacs pleins de clous et de pointes, une grande tarière, au moins une douzaine de haches, une pierre à aiguiser, instrument d'une grande utilité. Je mis le tout à part, avec plusieurs choses qui avaient appartenu au canonnier, telles que deux ou trois leviers en fer, deux barils de balles, sept mousquets, un autre fusil de chasse, une petite quantité de poudre, un gros sac de dragées, et un grand rouleau de plomb.

J'enlevai en outre tous les habits que je pus trouver, avec une voile de surcroît du perroquet de misaine, un branle, un matelas, et quelques couvertures. Je chargeai tout ce que je viens de détailler sur mon second train, et je le conduisis à terre avec un succès qui contribua extrêmement à me consoler dans mes disgrâces.

Tant que je fus éloigné de terre, je pensais que le moindre malheur qui pût m'arriver fût que les bêtes sauvages dévorassent mes provisions; mais à mon retour, je ne trouvai aucune marque d'irruption de leur part.

Me voyant à terre avec toute ma cargaison, je commençai à me faire une petite tente, au moyen de la voile et des piquets que je coupai dans cette intention. Je barricadai la porte de cette tente avec des planches en dedans et un coffre vide dressé sur un bout, en dehors; et après avoir placé mes pistolets à mon chevet, mon fusil à mon côté, je me mis au lit pour la première fois, et je dormis tranquillement toute la nuit.

Le magasin d'effets de toutes espèces que j'avais alors était, je pense, le plus gros qui eût jamais été amassé pour une seule personne : mais je n'étais pas encore content, et je m'imaginais que tant que le vaisseau resterait sur la quille il était de mon devoir d'en aller tirer tout ce que je pourrais. Chaque jour je me rendais à bord pendant la marée basse, et j'en rapportais tantôt une chose, tantôt une autre.

Ce qui me fit le plus de plaisir dans tout mon butin, c'est qu'après avoir fait cinq ou six voyages, et au moment où je croyais qu'il n'y avait plus rien dans le bâtiment qui valût la peine de s'en embarrasser, je trouvai encore un grand tonneau de biscuits, trois bons barils de rhum ou d'eau-de-vie, une boîte de cassonade, et un muid de fleur de farine très belle. L'agréable surprise où me jeta cette découverte fut d'autant plus grande, que je ne m'attendais plus à rencontrer aucune provision que l'eau n'eût entièrement gâtée.

Il y avait déjà treize jours que j'étais à terre; j'avais fait onze voyages à bord durant ce temps et j'avais enlevé tout ce qu'une personne seule était capable d'emporter. Je voulus y retourner une douzième fois; mais comme je m'y préparais je trouvai que le vent commençait à se lever ce qui ne m'empêcha pas de m'y rendre durant la marée basse et quoique j'eusse souvent fouillé et refouillé par toute la chambre du capitaine, avec tant d'exactitude, que je croyais qu'il n'y avait plus rien à trouver, je découvris cependant une armoire garnie de tiroirs, dans l'un desquels je trouvai deux ou trois rasoirs, une petite paire de ciseaux et dix ou douze couteaux, avec autant de fourchettes.

Déjà je pensais faire un radeau, quand je m'aperçus que le ciel se couvrait et qu'il commençait à fraîchir. Au bout d'un quart d'heure le vent souffla de la côte et sur-le-champ je pensai que ce serait un projet chimérique de vouloir faire un radeau avec un vent qui venait de terre; le plus court parti était de m'en retourner avant que le flux commençât si je ne voulais dire adieu pour jamais à la terre. En conséquence je me mis à nager et je traversai l'espace qui se trouvait entre le vaisseau et les sables; mais ce ne fut pas sans beaucoup de peine, tant à cause du poids de ce que je portais, qu'en raison de l'agitation de la mer, car le vent s'éleva brusquement, qu'il y eut une tempête avant même que la marée fût haute.

Mais j'étais rendu chez moi, à l'abri de l'orage et posté dans ma tente, au centre de mes richesses. Il fit un gros temps toute la nuit; et le matin quand je regardai en mer le vaisseau avait disparu.

Dès lors, je ne pensai plus, ni à ce qui m'en pourrait revenir, excepté ce que la mer apporterait de ses débris sur le rivage; comme en effet dans la suite elle en jeta plusieurs morceaux qui ne me servirent pas beaucoup.

Toutes mes pensées ne tendaient plus qu'à me mettre en sûreté contre les sauvages et les bêtes féroces, s'il y en avait dans l'île. Je ne savais si je me creuserais une cave, ou si je me dresserais une tente : enfin je résolus d'avoir l'une et l'autre.

Je reconnus d'abord que la place où je me trouvais n'était pas propre à un établissement; d'abord, parce que le terrain était bas et marécageux, j'avais sujet de douter de sa salubrité; ensuite parce qu'il n'y avait pas d'eau douce près de là; je pris donc le parti de chercher un site plus convenable.

J'avais plusieurs avantages à consulter dans la situation que je jugeais devoir me convenir; le premier était de jouir d'une bonne santé et par conséquent d'avoir de l'eau potable; le second, d'être à l'abri des ardeurs du soleil; le troisième, de me garantir contre les attaques des animaux dévorants, hommes ou bêtes, et le quatrième, d'avoir vue sur la mer afin que s'il venait quelque vaisseau dans ces parages, je n'omisse rien de ce qui pourrait favoriser ma délivrance.

Comme j'étais à chercher une place qui réunît tous ces avantages, je trouvai une petite plaine située au pied d'une colline élevée, dont la paroi était roide et sans talus, comme la façade d'une maison, tellement que rien ne pouvait venir à moi de haut en bas. Sur le devant de ce rocher était un enfoncement qui ressemblait assez à l'entrée ou à la porte d'une cave; mais il n'existait en effet aucune caverne ni aucun chemin qui allât dans le roc.

Ce fut sur cette esplanade et devant cet enfoncement, que je résolus de m'établir. La plaine n'avait pas plus de cent verges de largeur; elle s'étendait environ une fois plus en longueur et formait devant mon habitation un espèce de tapis vert, qui se terminait en descendant régulièrement de tous côtés vers la mer. Cette situation était au nord-nord-ouest de la colline, de manière qu'elle me mettait à l'abri de la chaleur, jusqu'à ce que j'eusse le soleil à l'ouest-quart-sud-ouest ou environ, ce qui est à peu près l'heure de son coucher dans ces climats.

Avant de dresser ma tente, je tirai au-devant de l'enfoncement du rocher un demi-cercle qui enclavait environ dix verges dans son demi-diamètre, depuis son point central jusqu'à sa circonférence et vingt de diamètre d'un bout jusqu'à l'autre.

Je plantai dans ce demi-cercle deux rangs de fortes palissades, que j'enfonçai en terre, jusqu'à ce qu'elles fussent fermes comme des piliers; leur gros bout était pointu et s'élevait de terre à la hauteur de cinq pieds et demi et il n'y avait pas plus de six pouces de distance de l'un à l'autre rang.

Je pris ensuite les pièces de câble que j'avais coupées à bord du vaisseau et les rangeai les unes sur les autres, dans l'entre-deux du double rang, jusqu'au haut des palissades; puis j'y ajoutai d'autres pieux, d'environ deux pieds et demi, appuyés contre les premiers et leur servant d'appui en dedans du demi-cercle. Cet ouvrage était si fort, qu'il n'y avait ni homme ni bête qui pût le forcer ou passer par-dessus; il me coûta beaucoup de temps de travail.

Je fis, pour entrer dans la place, une petite échelle, avec laquelle je passais par-dessus mes fortifications; quand j'étais dedans, j'enlevais et retirais cette échelle après moi. De cette manière je me croyais parfaitement défendu et bien fortifié contre tout agresseur et je dormais en toute sûreté pendant la nuit.

Cet ouvrage fini, je commençai à creuser dans le roc; et portant la terre et les pierres que j'en tirais à travers mà tente, je les jetai ensuite au pied de la palissade, de telle sorte qu'il en résulta une sorte de terrasse, qui élevait le sol d'environ un pied et demi en dedans. Je me fis une caverne, qui était comme le cellier de ma maison, justement derrière ma tente.

Voyant que j'avais fixé mon habitation, je trouvai qu'il était absolument nécessaire de me choisir un endroit et d'amasser des matériaux pour faire du feu.

Ma position se présentait à mes yeux sous un aspect terrible. Mais je considérais comme une consolation combien j'étais avantageusement pourvu pour ma subsistance; quel eût été mon sort s'il ne fut pas arrivé, par un coup qui n'arrivera pas une fois sur cent, que le vaisseau flottât du banc où il avait échoué d'abord et dérivât tellement vers la terre, que j'eusse le temps d'en tirer tout ce que j'avais par devers moi ? Qu'aurais-je fait si j'avais été obligé de demeurer dans l'état de dénuement où je me trouvais lorsque je fus jeté sur la plage, privé de toutes les choses nécessaires aux premiers besoins de la vie ? Que deviendrais-je, m'écriai-je, que deviendrais-je sans mon fusil, par exemple, sans munitions pour aller à la chasse, sans outils pour travailler, sans habits pour me couvrir, sans lit pour reposer, sans tente pour habitation ? Je jouissais alors de ces choses et j'avais à ma disposition le moyen de me passer un jour de mon fusil, quand mes munitions seraient consommées; j'avais, selon les apparences, de quoi me nourrir tout le reste de ma vie. J'avais prévu, en effet, dès le commencement, de quelle manière je pourrais remédier à tous les accidents qui m'arriveraient, non seulement au cas où mes munitions vinssent à manquer, mais encore quand ma santé serait ruinée ou mes forces épuisées.

J'avoue cependant qu'il ne m'était pas encore venu dans l'esprit que je pouvais perdre mes munitions, c'est-à-dire que ma poudre pouvait sauter en l'air par le feu du ciel et cette idée seule me consternait lorsque l'éclair ou le tonnerre me la rappelait.

A présent donc que je dois retracer le tableau d'une vie solitaire, d'une vie telle qu'on n'a peut-être jamais ouï parler de rien de semblable en ce monde, je remonterai jusqu'au commencement et je continuerai avec ordre. C'était le trentième jour de septembre que je mis pied à terre pour la première fois dans ce désert, à l'époque de l'équinoxe d'automne, où le soleil dardait presque perpendiculairement ses rayons sur ma tête; et je comptais, suivant mon estime, être vers la latitude de neuf degrés et vingt-deux minutes au nord de la ligne.

Dix ou douze jours après il me vint dans l'esprit que tôt ou tard je ne pourrais calculer la marche du temps faute de papier, de plumes et d'encre et que je ne pourrais plus distinguer les dimanches des jours de travail, si je ne m'avisais de quelque expédient. Pour prévenir une si fâcheuse confusion j'érigeai près du rivage, à l'endroit où j'avais pris terre pour la première fois, un grand poteau carré dont je fis une croix et sur lequel je traçai cette inscription :

J'abordai ici le 30 septembre 1659

Sur les côtés de ce poteau, je marquai chaque jour un cran : tous les sept jours j'en marquai un doublement grand et tous les premiers du mois un autre qui surpassait doublement celui du septième jour; de cette manière je fis un calendrier, calculant avec soin les semaines, les mois et les années.

C'est alors que je commençai à tenir un journal de toutes mes actions; dans les commencements, j'étais trop accablé, non pas du travail, mais des troubles de l'esprit, pour en faire un supportable et qui ne fût pas rempli de choses stupides. Ayant enfin surmonté mes faiblesses, me voyant établi dans mon domicile, pourvu de meubles, avec une chaise et une table, le tout aussi bien conditionné qu'il m'avait été possible, je commençai à tenir le journal suivant que je continuai autant que dura mon encre.

Journal

Le 30 septembre de l'an 1659, après avoir fait naufrage durant une horrible tempête qui, depuis plusieurs jours, emportait le bâtiment hors de sa route, moi, malheureux Robinson Crusoé, seul échappé de tout l'équipage, que je vis périr devant mes yeux, étant plus mort que vif, je pris terre dans cette île, que j'ai cru pouvoir à juste titre, appeler l'*île du Désespoir*.

Je passai tout le reste du jour à m'affliger de l'état affreux où j'étais réduit, n'ayant ni aliments, ni retraite, ni habits, ni arme, dénué de toutes espérances de recevoir du secours, m'attendant à être la proie des bêtes féroces, la victime des sauvages, ou le martyr de la faim, ne voyant en un mot devant moi que l'image de la mort. A l'approche de la nuit je montai sur un arbre, de peur des animaux sauvages, de quelque espèce qu'ils pussent être, et je dormis toute la nuit d'un profond sommeil.

Le 1er octobre je fus surpris de voir, le matin, que le

vaisseau avait flotté avec la marée, et qu'il s'était trouvé porté beaucoup plus près du rivage qu'auparavant. C'était un sujet de consolation pour moi de le voir dressé sur sa quille et tout entier; j'espérais que, si le vent venait à s'abattre, je pourrais aller à bord, y trouver de quoi manger, et en tirer plusieurs choses pour fournir tant aux besoins qu'aux commodités de la vie. Une partie de cette journée se passa à me tourmenter par mille réflexions; mais enfin, voyant que le vaisseau était presque à sec, je marchai sur le sable aussi loin que je pus, et je me mis à la nage pour aller à bord.

Depuis le 1er octobre jusqu'au 24 tous ces jours furent employés à faire plusieurs voyages pour tirer du vaisseau tout ce que je pouvais emporter, le conduisant ensuite à terre sur des radeaux avec la marée montante. Il plut beaucoup pendant ce temps : il paraît que c'était la saison des pluies.

Le 24 je renversai mon radeau et tous les effets qui étaient dessus; mais j'en recouvrai une grande partie à la marée basse.

Le 25 il fit une pluie qui dura toute la nuit et tout le jour, accompagnée de tourbillons de vent qui s'élevaient de temps en temps avec violence, et qui mirent le vaisseau en pièces, tellement qu'il n'en paraissait plus que les débris, encore n'était-ce que sur la fin du reflux. Je m'occupai ce jour-là à serrer les effets que j'avais sauvés, de crainte qu'ils ne se gâtassent à la pluie.

Le 26 octobre je me promenai pendant presque tout le jour, cherchant une place propre à fixer mon habitation, et ayant fort à cœur de me mettre en sûreté contre les attaques nocturnes des sauvages ou des bêtes féroces. Vers la nuit je plantai le piquet dans un endroit convenable, au pied d'un rocher, et je tirai un demi-cercle pour marquer les limites de mon campement, que je résolus de fortifier d'un ouvrage composé de deux rangs de palissades, dont l'entre-deux serait rempli de câbles et le dehors de gazon.

Depuis le 26 jusqu'au 30, je travaillai avec ardeur à porter mes effets dans mon habitation nouvelle, quoi qu'il plût excessivement durant une partie de ce temps-là.

Le 31 au matin je sortis avec mon fusil, pour aller dans l'île à la découverte et à la chasse. Je tuai une chèvre, dont le chevreau me suivit jusque chez moi; mais, comme il ne voulait pas manger, je fus obligé de le tuer.

Le 1er novembre je dressai ma tente au pied du rocher; je la fis aussi spacieuse que je le pus, la soutenant sur des piquets que je plantai, et auxquels je suspendis mon branle. J'y couchai pour la première fois.

Le 2 novembre je plaçai tous mes coffres, toutes les planches et toutes les pièces du bois dont j'avais composé mes radeaux, autour de moi, et je m'en fis un rempart en dedans du cercle que j'avais marqué pour ma forteresse.

Le 3 je sortis avec mon fusil, et je tuai deux oiseaux semblables à des canards, qui me fournirent un très bon manger. L'après-midi je me mis à travailler pour faire une table.

Le 4 au matin je continuai de suivre une règle que je me fis une loi d'observer désormais chaque jour; c'était de diviser mon temps pour travailler, pour m'aller promener, pour dormir, et pour mes petits divertissements. Le matin j'allais dehors avec mon fusil pendant deux ou trois heures, s'il ne pleuvait pas; ensuite je me mettais à travailler jusqu'à environ onze heures, et après je mangeais ce que la Providence et mon industrie m'avaient préparé; enfin je retournais au travail sur le soir. Je consacrai cette journée et les suivantes à finir ma table.

Le 5 novembre je sortis avec mon fusil et mon chien, et je tuai un chat sauvage; la peau en était douce, mais la chair ne valait rien. J'écorchais tous les animaux que je tuais, et j'en conservais la peau; et en revenant le long de la côte je vis plusieurs oiseaux de mer qui m'étaient inconnus.

Le 6, après ma promenade du matin, je me mis à travailler à ma table et je la terminai : il est vrai que je ne la trouvai pas faite à mon goût, aussi je ne fus pas longtemps sans en corriger les défauts.

Le temps commença le 7 à se mettre au beau. Je ne travaillai à autre chose qu'à me faire une chaise durant les 7, 8, 9, 10, et une partie du 12. Je ne parle pas du 11, parce que c'était le dimanche, suivant mon calendrier. En peu de temps, je négligeai l'observation du dimanche, parce qu'ayant omis de graver le cran qui le désignait j'oubliai l'ordre des jours.

Le 13 novembre il tomba une pluie qui me rafraîchit beaucoup, et fit un grand bien à la terre. Dès que le fracas fut passé je pris la résolution de partager ma provision de poudre en autant de petits paquets que j'en pouvais faire, pour la mettre parfaitement en sûreté.

Le 14, le 15 et le 16, j'employai ces trois jours à me faire de petites boîtes carrées qui pourraient tenir une ou deux livres de poudre tout au plus; après les avoir remplies je les plaçai dans plusieurs endroits différents, les éloignant les unes des autres autant qu'il était possible. Je tuai, l'un de ces jours, un oiseau dont la chair était bonne à manger.

Le 17 je commençai à creuser le rocher qui était derrière ma tente, pour me mettre plus au large et à mon aise. Il me manquait trois choses, fort nécessaires pour cet ouvrage, savoir : une pioche, une pelle et une brouette ou un panier. Je discontinuai donc mon travail, et me mis à songer comment je ferais pour suppléer à ces outils. Quant à la pioche, je la remplaçai facilement par des leviers de fer qui étaient assez propres, quoique un peu pesants; mais pour la pelle, la seconde chose qui me manquait, elle m'était d'un besoin si absolu, que sans elle je ne pouvais rien faire, et je ne savais encore par quelle invention la remplacer.

Le lendemain, 18 novembre, en cherchant dans les bois, je trouvai une espèce d'arbre qui, s'il n'était pas celui que les Brésiliens appellent bois de fer, à cause de son extrême dureté, lui ressemblait du moins beaucoup. Je me fatiguai singulièrement à en couper une pièce, après avoir endommagé une hache; et ce ne fut pas à moins de frais que je la portai jusqu'à mon domicile, car elle était très pesante.

La dureté excessive du bois, jointe à la manière dont j'étais obligé de m'y prendre, fut cause que je mis beaucoup de temps à fabriquer cet outil. Enfin peu à peu je lui donnai la forme d'une pelle ou d'une bêche.

Il me manquait encore un panier ou une brouette. Je ne pouvais en aucune manière faire un panier, n'ayant pas, ou du moins ne sachant pas qu'il y eût dans l'île ni saule, ni osier, ni autre arbre de cette espèce dont les branches fussent propres à faire ces sortes d'ouvrages. Quant à la brouette, il me semblait que j'en viendrais à bout, excepté pourtant la roue, dont je n'avais aucune notion, et pour la fabrication de laquelle je ne me sentais pas le moindre talent; pour porter hors de ma caverne la terre que j'abattais en bêchant, je me servis d'un instrument assez semblable à l'outil qu'emploient les manœuvres pour porter le mortier.

La façon de ce dernier instrument ne me coûta pas tant de peine que celle de la pelle; mais l'un et l'autre, joints à l'essai inutile que je fis pour voir si je pourrais venir à bout d'une brouette, ne me tinrent pourtant pas moins de quatre jours entiers.

Le 23 novembre. Mon autre travail ayant été interrompu jusqu'ici, parce que je m'étais occupé à faire des outils, je le repris dès qu'ils furent achevés, travaillant chaque jour autant que mes forces et les règles que je m'étais prescrites pour la distribution de mon temps me le permettaient. Je mis dix-huit jours à élargir et à creuser ma caverne de manière à pouvoir y serrer commodément mes effets.

Le 20 décembre, je commençai à porter mes meubles dans ma caverne, à garnir ma maison et à faire une table de cuisine pour apprêter mes viandes : je me servis de planches pour cet effet, mais cette matière commençait à devenir rare.

Le 27 je tuai un chevreau et j'en blessai un autre, que je finis par attraper, et que j'amenai en laisse au logis; dès que je fus arrivé, je lui raccommodai la jambe et la lui bandai. J'en pris un tel soin, qu'il vécut et devint aussi fort de cette jambe-là que de l'autre. Après l'avoir gardé longtemps, il s'apprivoisa avec moi, et il paissait la verdure qui était dans mon enclos sans jamais prendre la fuite. C'est alors que me vint la première pensée d'entretenir des animaux privés, afin d'avoir de quoi me nourrir quand ma poudre et mon plomb seraient épuisés.

Le 1er janvier 1660, je sortis de bon matin et vers le soir avec mon fusil. Cette fois, m'étant avancé dans les vallées qui sont à peu près au centre de l'île, je vis qu'il y avait une grande quantité de boucs; ils étaient extrêmement sauvages et de difficile accès, et je résolus d'essayer une fois d'amener mon chien, pour voir s'il ne les pourrait point chasser vers moi.

Le 2 je me mis en campagne avec mon chien, suivant mon projet de la veille, et je le lançai contre les boucs; mais je vis que je m'étais trompé dans mon calcul, car ils se joignirent de tous côtés, faisant tête contre lui : il fut assez prudent pour connaître le péril et ne vouloir pas en approcher.

Je parcourais, tous les jours, les bois pour tirer quelque gibier, à moins que la pluie ne m'en empêchât et dans ces promenades réitérées il m'arrivait souvent de découvrir tantôt une chose, tantôt une autre, qui pour la plupart m'étaient avantageuses.

Néanmoins je m'apercevais dans l'administration de mon ménage, qu'il me manquait bien des choses; je crus au commencement qu'il me serait impossible de réussir à les fabriquer; ce qui fut vrai de quelques-unes : par exemple je ne pus jamais venir à bout d'achever un tonneau et d'y mettre des cercles.

Une autre chose me manquait, c'était de la chandelle, et il m'était incommode de m'en passer, car je me voyais forcé de me coucher dès qu'il faisait nuit, ce qui arrivait ordinairement à sept heures. L'unique moyen dont je pus m'aviser pour parer à cet inconvénient fut que quand j'avais tué un bouc j'en conservais la graisse; ensuite je fis sécher au soleil un petit plat de terre que je m'étais façonné; puis, prenant du fil de carlet pour servir de mèche, je trouvai le moyen de faire une lampe, dont la flamme n'était pas si lumineuse que celle de la chandelle et répandait une lueur sombre. Au milieu de tous ces travaux il m'arriva de trouver, en fouillant parmi mes meubles, un sac qui avait été rempli de grains dans l'intention de nourrir de la volaille, non pour ce voyage, mais pour le précédent. Ce qui restait de blé avait été rongé par les rats, et je n'y voyais plus que de la balle et de la poussière; or, comme j'avais besoin du sac pour autre chose, j'allai le vider, et en secouer les balles et les restes au pied du rocher, à côté de mes fortifications.

Cela eut lieu peu de temps avant les grandes pluies dont je viens de parler, et je mis si peu d'attention quand je jetai cette poussière, qu'au bout d'un mois environ il ne m'en restait pas le moindre souvenir, lorsque j'aperçus çà et là quelques tiges qui sortaient de terre : je les pris d'abord pour des plantes que je ne connaissais point; mais quelque temps après je fus étonné de voir dix ou douze épis venus à maturité, qui étaient d'une orge verte, parfaitement bonne, de la même espèce que celle d'Europe et, qui plus est, aussi belle qu'elle aurait pu l'être en Angleterre.

Je ne manquai pas de recueillir soigneusement le blé dans la bonne saison, qui était à la fin du mois de juin, et, en serrant jusqu'au moindre grain, je résolus de semer

tout ce que j'en avais, dans l'espérance qu'avec le temps j'en recueillerais assez pour faire du pain.

Outre cette orge, il y eut encore une trentaine d'épis de riz, que je conservai avec le même soin, et pour un semblable usage.

Reprenons notre journal.

Je travaillai assidûment pendant trois mois et demi, à bâtir ma muraille, et je la fermai le 14 avril, après m'en être ménagé l'entrée au moyen d'une échelle, qui me servait à passer par-dessus, et non d'une porte, de peur qu'on ne remarquât de loin mon habitation.

Le 16 avril je finis mon échelle, avec laquelle je montai sur mes palissades; ensuite je l'enlevai et la mis à terre en dedans de l'enclos, qui était tel qu'il me le fallait, car il y avait un espace suffisant, et rien n'y pouvait entrer qu'en passant par-dessus la muraille.

Dès le lendemain que cet ouvrage fut achevé je faillis voir renverser subitement tous mes travaux, et perdre moi-même la vie; je travaillais derrière ma tente, lorsque tout à coup je vis la terre s'ébouler du haut de ma voûte et de la cime du rocher qui pendait sur ma tête. Deux des piliers que j'avais placés dans ma caverne craquèrent horriblement; et, n'en sachant point encore la véritable cause, je crus que c'était la chute d'une quantité de matériaux, comme cela était déjà arrivé une fois. De peur d'être enterré dessous, je m'enfuis au plus vite vers mon échelle et, ne m'y croyant pas en sûreté, je passai par-dessus ma muraille, pour m'éloigner et me dérober à des morceaux entiers du rocher, que je croyais à tout moment près de fondre sur moi. A peine avais-je le pied à terre, de l'autre côté de la palissade, que je vis clairement qu'il y avait un épouvantable tremblement de terre. Trois fois le terrain sur lequel j'étais trembla sous mes pieds; entre chaque secousse il y eut un intervalle d'environ huit minutes, et les trois furent si violentes, que les édifices les plus solides et les plus forts en auraient été renversés. Tout le côté d'un rocher, situé à environ un demi-mille de moi, tomba avec un bruit qui égalait celui du tonnerre. L'Océan même me parut ému de ce prodige, et je crois que les secousses étaient encore plus violentes sous les ondes que dans l'île.

Cependant l'air s'obscurcissait, et le ciel se couvrait de nuages comme s'il allait pleuvoir. Bientôt après le vent s'éleva peu à peu, et devint si violent qu'en moins d'une demi-heure, il y eut un ouragan furieux. Vous auriez vu la mer blanchie de son écume, le rivage inondé par les flots, les arbres arrachés du sein de la terre, et tous les ravages de la plus affreuse tempête. Elle dura près de trois heures, puis diminua; le calme se rétablit au bout de trois autres heures, et il commença à pleuvoir abondamment.

J'étais dans la même situation de corps et d'esprit, quand tout à coup je fis réflexion que ces vents et cette pluie étant une suite naturelle du tremblement de terre, il fallait que ce dernier fût épuisé, et que je pouvais me hasarder à retourner dans ma demeure.

Ce déluge m'obligea de faire au travers de mes fortifications une espèce de canal ou de ruisseau, afin de ménager un écoulement aux eaux, sinon, elles eussent inondé ma caverne. Après être resté à l'abri pendant quelque temps, je vis que le tremblement de terre était passé. Je commençai à retrouver ma tranquillité; et pour soutenir mon courage, qui en avait assurément grand besoin, je m'en allai à l'endroit où était ma petite provision pour me fortifier d'un trait de rhum; mais alors, comme en toute occasion, j'en usai fort sobrement, sachant très bien que quand mes bouteilles seraient épuisées, il n'y aurait plus moyen de les remplir.

Il continua de pleuvoir toute la nuit et une partie du lendemain, tellement qu'il n'y eut pas moyen de mettre le pied dehors; mais comme je me possédais beaucoup mieux, je commençai à réfléchir sur le meilleur parti que j'avais à prendre; je conclus que l'île étant sujette à des tremblements il ne fallait absolument pas faire ma demeure dans une caverne, mais qu'au contraire je devais songer à me bâtir une cabane dans un lieu découvert ou dégagé.

La crainte d'être enterré tout vif faisait que je ne dormais jamais tranquillement; celle que j'avais de coucher hors de ma forteresse, dans un lieu tout ouvert et sans défense, était presque aussi grande; et quand je regardais autour de moi, lorsque je considérais le bel ordre où j'avais mis toutes choses, combien j'étais sûrement caché, combien j'avais peu à craindre les attaques, je sentais la plus grande répugnance à déménager.

De plus, je me représentais que je serais longtemps à faire des nouveaux ouvrages, et qu'il me fallait, malgré les risques, rester où j'étais, jusqu'à ce que j'eusse formé une espèce de campement, et que je l'eusse suffisamment fortifié pour y prendre mon logement en toute sûreté. De cette manière, je me mis l'esprit en repos pour un temps, et je résolus de travailler incessamment à la construction d'une muraille avec des palissades et des câbles, comme j'avais fait la première fois, de renfermer mes travaux dans un plus petit cercle, et d'attendre, pour déloger, qu'ils fussent finis et perfectionnés. C'est le 21 que ce dessein fut arrêté.

Le 22 avril, dès le matin, je songeais aux moyens de le mettre à exécution; mais je me trouvai fort en arrière du côté de mes outils; j'avais trois besaiguës et une multitude de haches, parce que nous en avions embarqué une provision pour trafiquer avec les Indiens; mais ces instruments, à force de charpenter et de couper du bois dur et noueux, avaient le taillant tout émoussé et dentelé; et quoique je possédasse une pierre à aiguiser, je n'avais cependant pas le secret de la tourner pour en faire usage. Cet obstacle tourmenta beaucoup mon esprit. A la fin, pourtant, j'inventai une roue attachée à un cordon, par le moyen duquel je pusse donner le mouvement à la pierre avec mon pied, tandis que j'aurais les deux mains libres.

Les 28 et 29 avril. J'employai ces deux jours à aiguiser mes outils, la machine que j'avais inventée pour tourner la pierre jouant à merveille.

Le 1er mai. En regardant le matin vers la mer pendant la marée basse, je vis quelque chose d'assez gros sur le rivage, qui ressemblait à un tonneau : quand je me fus approché de l'objet, je reconnus qu'un petit baril et deux ou trois morceaux des débris du vaisseau avaient été poussés à terre par le dernier ouragan. Je regardai du côté du vaisseau, et le vis un peu hors de l'eau. J'examinai le baril qui était sur le rivage, et je trouvai que c'était un baril de poudre, mais qu'il avait pris l'eau, et que la poudre était collée et dure comme une pierre. Néanmoins je le roulai plus avant par précaution, afin de l'éloigner de l'eau, et j'allai ensuite aussi près du vaisseau que je le pouvais sur le sable.

Quand je fus proche, je trouvai qu'il avait étrangement changé de situation. Néanmoins je résolus de mettre en pièces tout ce que je pourrais des débris du bâtiment, me persuadant que tout ce que j'en tirerais me servirait à quelque usage.

Le 3 mai je me mis à travailler avec ma scie, et je coupai de part en part un morceau de poutre qui soutenait une partie du demi-pont; après cela j'écartai et j'ôtai le plus de sable que je pus du côté le plus élevé. La marée survint et m'obligea de finir pour ce jour-là.

Les 10, 11, 12, 13, 14 mai. J'allai tous ces jours aux débris, et j'en tirai plusieurs charpentes, nombre de planches, et deux ou trois cents livres de fer.

Je continuai ce travail jusqu'au 15 juin, sans pourtant rien prendre sur le temps nécessaire pour chercher ma nourriture, et que j'avais fixé à la haute marée durant ces allées et venues, afin que je pusse être toujours prêt pour la marée basse. J'avais ainsi amassé du merrain, des planches et du fer en assez grande quantité pour construire un bateau, si j'eusse su comment m'y prendre. J'avais encore enlevé, pièce par pièce, près de cent livres de plomb roulé.

Le 16 juin, en marchant vers la mer, je trouvai une tortue, la première que j'eusse vue dans l'île. Si j'avais été si longtemps sans découvrir aucun de ces animaux, c'était plutôt par un effet du hasard qu'à cause de la rareté de leur espèce, car je trouvai que je n'aurais eu qu'à aller de l'autre côté de l'île pour en avoir des milliers chaque jour : peut-être aussi cette découverte m'aurait-elle coûté bien cher.

Le 17 juin. J'employai tout ce jour à apprêter ma tortue; je trouvai dedans soixante œufs; et comme depuis mon arrivée dans ce triste séjour je n'avais goûté que des viandes d'oiseau ou de bouc, sa chair me parut la plus savoureuse et la plus délicate du monde.

Le 18, il plut tout le jour, et je restai au logis. La pluie me semblait froide, et je me sentais glacé, chose que je savais n'être point ordinaire dans cette latitude.

Le 19 je me trouvai fort mal, et je frisonnai comme s'il eut fait un grand froid.

Le 20 je ne pus prendre de repos pendant toute la nuit, et je ressentis une vive chaleur accompagnée de grandes douleurs de tête.

Le 21 je fus fort mal, et j'éprouvai une frayeur mortelle de me voir malade, dénué de secours humain.

Le 22 je me trouvai mieux; mais les craintes terribles que me donnait ma maladie portaient le trouble dans mon âme.

Le 23, je fus de nouveau fort mal, ayant du frisson, des tremblements et un violent mal de tête.

Le 24 je fus beaucoup mieux.

Le 25 je fus tourmenté d'une fièvre violente : l'accès dura sept heures; il fut mêlé de froid et de chaud, et se termina par une sueur qui m'affaiblit beaucoup.

Le 26 je me trouvai mieux, et, comme je n'avais point de vivres, je pris mon fusil pour en aller chercher. Je me sentais extrêmement faible; néanmoins, je tuai une chèvre, que je traînai au logis avec beaucoup de difficulté; j'en grillai sur les charbons quelques morceaux, que je mangeai; j'aurais désiré en faire bouillir pour me procurer du bouillon, mais il fallut m'en passer, faute de pot.

Le 27, le mal me reprit si violemment qu'il me fit garder le lit tout le jour sans boire ni manger. Je mourais de soif; mais j'étais si faible que je n'avais pas la force de me lever pour aller chercher de l'eau. J'eus un accès; et lorsqu'il me quitta, je m'endormis, et ne me réveillai que bien avant dans la nuit. A peine avais-je ouvert les yeux que je me sentis fort soulagé, quoique bien faible et altéré; mais que faire; il n'y avait point d'eau dans toute ma demeure, et je fus forcé de rester au lit jusqu'au matin où je me rendormis. Pendant ce sommeil j'eus une vision qui me rappela à des sentiments religieux : la prière que j'adressai à l'Eternel dans cette occasion était la première que j'eusse faite depuis plusieurs années.

Le 28 juin, me sentant un peu soulagé par le sommeil, et l'accès étant tout à fait passé, je me levai. La frayeur où m'avait jeté mon songe ne m'empêcha pas de considérer que l'accès reviendrait le jour suivant, et qu'il fallait profiter de cet intervalle pour reprendre des forces et préparer des rafraîchissements auxquels je pourrais avoir recours lorsque le mal reviendrait. La première chose que je fis fut de verser de l'eau dans une grande bouteille carrée, et de la mettre sur la table près de mon lit; et pour ôter la crudité de l'eau, j'y ajoutai environ le quart d'une pinte de rhum. J'allai couper un morceau de viande de bouc, que je grillai sur des charbons; mais je n'en pus manger que fort peu. Je sortis pour me promener; mais je me trouvai faible, triste et le cœur serré à la vue de ma pitoyable condition, redoutant pour le lendemain le retour de mon mal. Le soir je soupai avec trois œufs de tortue, que je fis cuire sur la braise, et que je mangeai à la coque.

J'essayai de me promener; mais je me trouvai si faible qu'à peine pouvais-je porter mon fusil, sans lequel je ne marchais jamais : aussi je n'allai pas loin; je m'assis à terre, et me mis à contempler la mer, qui était alors calme et unie.

Les réflexions que je fis sur mon peu de piété me rendirent muet; et, bien loin d'avoir aucune réplique pour me justifier auprès de moi-même, je me levai tout pensif et mélancolique; je marchai vers ma retraite, et je passai par-dessus ma muraille comme pour m'aller coucher; mais je me sentais l'esprit dans une grande agitation, et j'étais peu disposé à dormir; je m'assis sur ma chaise; et, comme il commençait à faire nuit, j'allumai ma lampe. Déjà l'atteinte de la fièvre me donnait de terribles inquiétudes, lorsqu'il me vint à l'esprit que les Brésiliens ne prennent presque aucune autre médecine que du tabac, contre quelque sorte de maladie que ce puisse être. Je savais qu'il y avait dans un de mes coffres un morceau de rouleau de cette plante, dont les feuilles étaient mûres pour la plupart, quoiqu'il y en eût quelques-unes de vertes.

Je ne savais comment employer ce tabac pour ma maladie, ni s'il me serait bon ou contraire; mais j'en fis l'expérience de plusieurs manières différentes, comme si je n'eusse pu manquer par cette voie de rencontrer la bonne méthode et de réussir. D'abord je pris un morceau de feuille que je mis dans ma bouche; et comme le tabac était vert et fort, et que je n'y étais pas accoutumé, il m'étourdit extraordinairement : ensuite j'en fis tremper une autre feuille dans du rhum, pour en prendre une dose une heure ou deux après, en me couchant; enfin j'en grillai sur des charbons ardents, et je tins le nez sur la fumée aussi près et aussi longtemps que la crainte de me brûler ou de suffoquer pouvait le permettre.

Ensuite, je bus le rhum dans lequel j'avais fait infuser le tabac, et dont la décoction était si forte que j'eus beaucoup de peine à pouvoir l'avaler. Cette potion me porta brusquement à la tête, et je m'endormis d'un si profond sommeil, que quand je me réveillai il ne pouvait être moins de trois heures de l'après-midi : je dirai plus, c'est que je ne saurais encore m'ôter de la tête que je dormis tout le lendemain de ma médecine, toute la nuit d'après et une partie du jour suivant, car autrement je ne comprends pas comment j'aurais pu me trouver en défaut d'un jour dans mon calcul de jours et de semaines, comme il parut quelques années après que je l'étais effectivement.

Quelle que pût être la cause de ce mécompte, je me trouvai à mon réveil extrêmement soulagé, plein de courage et de joie; quand je me levai j'avais plus de force que le jour précédent : mon estomac s'était rétabli, m'était revenu; en un mot le lendemain l'accès ne reparut pas, et j'allai toujours de mieux en mieux. Ce jour était le 23.

Le 30 juin, d'après la marche de la maladie, était mon jour de calme; je sortis avec mon fusil, mais je ne me souciai point de m'éloigner trop. Je tuai un couple d'oiseaux de mer, assez semblables à des oies souvages : je les portai au logis, mais je ne fus point tenté d'en manger et je me contentai de quelques œufs de tortue qui étaient fort bons. Le soir je réitérai la médecine que je supposais m'avoir fait du bien, c'est-à-dire du tabac infusé dans du rhum : j'usai pourtant de quelque restriction cette fois-ci; la dose fut plus petite que la dernière, je ne mâchai point de tabac, et je ne tins point le nez sur la fumée comme auparavant. Le lendemain 1er juillet je ne fus pas aussi bien que je m'y étais attendu, j'eus quelques légers frissons.

Le 2, je réitérai la médecine de trois manières; elle me porta à la tête comme il était arrivé la première fois, et je doublai la quantité de ma portion.

Le 3 la fièvre me quitta pour toujours; mais il se passa quelques semaines avant que je reprisse tout à fait mes forces.

Du 4 juillet jusqu'au 14 mon occupation principale fut de me promener avec mon fusil à la main.

Ces fréquentes promenades m'apprirent à mes dépens cette particularité très importante pour moi, qu'il n'y avait rien de plus pernicieux pour la santé que de se mettre en campagne pendant la saison pluvieuse, surtout lorsque la pluie est accompagnée d'une tempête ou d'un ouragan. Comme la pluie qui survenait quelques fois dans la saison sèche ne tombait jamais sans orage, je la trouvai beaucoup plus dangereuse que celle de septembre ou octobre.

Il y avait près de dix mois que j'étais dans ce triste séjour, toute possibilité d'en sortir semblait m'être ôtée pour toujours, et je croyais fermement que jamais créature humaine n'avait mis le pied dans ce lieu sauvage. Ma demeure se trouvait, selon moi, suffisamment fortifiée : j'avais un grand désir de faire une connaissance plus complète de l'île, et de voir si je ne pourrais point découvrir des productions qui m'auraient été cachées jusqu'alors.

Ce fut le 15 juillet que je commençai à parcourir mon île plus attentivement que je ne l'avais encore fait. J'allai d'abord à la petite baie où j'avais abordé avec mes radeaux. Je marchai le long de la rivière; et quand j'eus fait environ deux milles en montant je trouvai que la marée ne portait pas plus loin, et qu'il n'y avait plus là qu'un petit ruisseau, dont l'eau était fort douce et très bonne. Comme c'était l'été ou la saison sèche, il n'y avait presque point d'eau à certains endroits; du moins n'en restait-il pas assez pour faire un courant un peu considérable et sensible.

Sur les bords de ce ruisseau, il y avait plusieurs plantes,

que je ne connaissais point; dont je n'avais jamais entendu parler, et qui pouvaient avoir des propriétés que je ne connaissais pas davantage.

Je me mis à chercher de la cassave, racine qui sert de pain aux Américains dans tous ces climats; il me fut impossible d'en découvrir.

Le lendemain, 16 du mois, je repris le même chemin, et, m'étant avancé un peu plus que je n'avais fait la veille, je trouvai que le ruisseau et les prairies ne s'étendaient pas plus loin, et que la campagne commençait à être couverte de bois. Là je trouvai plusieurs sortes de fruits, et particulièrement des melons qui couvraient la terre, des raisins qui pendaient sur les arbres, et dont la grappe, riante et pleine, était prête pour la vendange. Cette découverte me causa autant de surprise que de joie.

Je passai là toute la journée; sur le tard je ne jugeai pas à propos de m'en retourner au logis, et je me déterminai, pour la première fois de ma vie solitaire, à découcher. La nuit était venue, je choisis un logement tout semblable à celui qui m'avait donné retraite lors de mon arrivée dans l'île : ce fut un arbre touffu, sur lequel je me plaçai commodément, et m'endormis d'un profond sommeil. Le lendemain au matin je procédai à la continuation de ma découverte en marchant près de quatre milles, et, jugeant de la longueur du chemin par celle de la vallée que je parcourais, j'allais droit au nord, laissant derrière et à ma droite une chaîne de monticules.

Au bout de cette marche je me trouvai dans un pays découvert, qui semblait porter sa pente à l'occident; un petit ruisseau d'eau fraîche, sortant d'une colline, dirigeait son cours à l'opposite, c'est-à-dire à l'orient : toute cette contrée paraissait si tempérée, si verte, si fleurie, qu'on l'aurait prise pour un jardin planté avec art, et il est aisé de voir qu'il y régnait un printemps perpétuel.

Je descendis un peu sur la croupe de cette vallée délicieuse, et fis ensuite une station pour la contempler à loisir. D'abord l'admiration s'empara de mes sens : elle suspendit quelque temps mes soucis rongeurs, pour me faire savourer le plaisir de voir que tout ce que je contemplais était mon bien; que j'étais le seigneur et le roi absolu de cette région; que j'y avais un droit de possession, et que si j'avais des héritiers je pourrais le leur transmettre. J'y vis une grande quantité d'orangers, de limoniers et de citronniers, tous sauvages, et dont il n'y avait que très peu qui portassent du fruit, du moins dans la saison présente. Les limons verts que je cueillis étaient non seulement agréables à manger, mais encore très sains; et dans la suite j'en mêlai le jus avec de l'eau, qui en devenait par là plus rafraîchissante et plus salutaire.

Je me voyais maintenant assez d'ouvrage : il s'agissait de cueillir du fruit et de le transporter ensuite dans mon habitation; car j'avais résolu d'amasser une provision de raisins et de citrons pour me servir pendant la saison pluvieuse.

Après mon voyage de trois jours, je me rendis chez moi : c'est ainsi que j'appellerai désormais ma tente et ma caverne. Mais avant d'y arriver mes raisins s'étaient froissés et écrasés à cause de leur grande maturité et de leur pesanteur, en sorte qu'ils ne valaient plus rien. Quant aux limons, ils se trouvèrent très bons; mais il n'y en avait qu'un petit nombre.

Pendant mon retour de ce petit voyage, je contemplai avec admiration la fécondité de cette vallée, les charmes de sa situation, l'avantage qu'il y aurait de s'y voir à l'abri des orages du vent d'est derrière ces bois et ces coteaux; et je conclus que l'endroit où j'avais fixé mon habitation était sans contredit le moins avantageux de toute l'île. Je pensai dès lors à déménager et à me choisir s'il était possible, dans ce séjour fertile et agréable une place aussi forte que celle que je méditais de quitter.

J'eus longtemps ce projet en tête, et la beauté du lieu m'en faisait repaître mon imagination avec plaisir : mais quand je vins à considérer les choses de plus près et à réfléchir que mon ancienne demeure était proche de la mer, je trouvai que ce voisinage pourrait donner lieu à quelque événement favorable pour moi.

J'étais pourtant devenu tellement passionné pour un si bel endroit, que j'y passai presque tout le reste de juillet; et quoique, après m'être ravisé, j'eusse décidé de ne point changer de domicile, je ne pus m'empêcher de satisfaire en partie mon envie en y faisant une petite métairie au milieu d'une enceinte assez spacieuse.

Je venais de terminer mes fortifications, et je commençais à jouir de mes travaux, quand les pluies vinrent m'en déloger, et me chasser dans ma première habitation, d'où je ne devais pas sortir de sitôt; car, quoique dans la nouvelle je me fusse fait une tente avec une pièce de voile, et que je l'eusse très bien tendue, comme je l'avais déjà fait dans l'ancienne, je n'étais pourtant pas au pied d'un rocher haut et sans pente qui me servît de boulevard contre le gros temps, et je n'avais pas derrière moi une caverne pour me retenir en cas de pluies extraordinaires.

J'avais achevé ma métairie au commencement d'août, et dès ce moment, je commençai à en goûter les douceurs.

Depuis le 14 du mois d'août jusqu'au 26 il plut sans relâche, et tellement, que je ne pus sortir de tout ce temps-là; j'étais devenu très soigneux de me garantir de la pluie. Durant cette longue retraite je commençai à me trouver un peu à court de vivres; m'étant hasardé deux fois à sortir je tuai un bouc, et trouvai une tortue fort grosse, qui fut pour moi un grand régal.

Pour me distraire et faire en même temps quelque chose d'utile dans cette espèce de prison où me confinait la pluie, je travaillais régulièrement deux ou trois heures par jour à agrandir ma caverne; et conduisant ma sape peu à peu vers l'un des flancs du rocher, je parvins à le percer de part en part et à m'établir une entrée et une sortie libres derrière mes fortifications. Je conçus d'abord quelque inquiétude de me voir ainsi exposé; car de la manière dont j'avais aménagé les choses auparavant, je m'étais vu parfaitement bien fermé, au lieu qu'à présent j'étais en butte au premier agresseur qui viendrait m'attaquer. Il faut pourtant avouer que j'aurais de la peine à justifier la crainte qui me vint à ce sujet, et j'étais trop ingénieux à me tourmenter, puisque l'animal le plus gros que j'eusse encore vu dans l'île était un bouc.

Le 30 septembre ramena l'anniversaire de mon funeste débarquement. Je calculai les crans marqués sur mon poteau, et j'y trouvai qu'il y avait trois cent soixante-cinq jours que j'étais à terre. J'observai ce jour comme un jour de jeûne solennel, le consacrant tout entier à des exercices religieux. Je m'abstins de toute nourriture pendant douze heures et jusqu'au soleil couchant; puis je mangeai un biscuit avec une grappe de raisin, et, terminant cette journée par la prière, comme je l'avais commencée, je m'allai coucher.

Peu de temps après je m'aperçus que mon encre me manquerait bientôt; je fus donc obligé d'en être très ménager, me contentant d'écrire les circonstances les plus remarquables de ma vie, sans faire un détail journalier des autres choses.

Je m'apercevais déjà de la régularité des saisons : je ne me laissais plus surprendre ni par la pluie ni par la sécheresse, et je savais me pourvoir contre l'une et l'autre. Mais avant d'acquérir une telle expérience j'avais été obligé d'en faire les frais. J'ai dit plus haut que j'avais conservé le peu d'orge et de riz qui avait poussé d'une manière inattendue et où je m'imaginais trouver du miracle. Il pouvait bien y avoir trente épis de riz et vingt d'orge, et je croyais que c'était le temps propre à semer ces grains, parce que, les pluies étant passées, le soleil était parvenu au midi de la ligne.

Voyant que ma première semence ne croissait point, et devinant aisément qu'il n'en fallait pas chercher d'autre cause que la sécheresse, je préparai un autre champ pour faire un autre essai. Je bêchai donc une pièce de terre près de ma nouvelle métairie, et je semai le reste de mon grain en février, un peu avant l'équinoxe du printemps. Cette semence, ayant été humectée durant les deux mois de mars et d'avril, poussa fort heureusement, et fournit la plus belle récolte que je pusse attendre; mais comme cette seconde semaille n'était plus qu'un reste de la première, n'osant la risquer tout entière, j'en avais épargné pour une troisième; elle ne donna qu'une petite moisson, qui pouvait monter à deux picotins, l'un de riz, l'autre d'orge.

L'expérience que je venais de faire me rendit très habile sur ce point : j'appris le moment juste où il fallait semer et que je pouvais faire deux semailles et recueillir deux moissons.

Pendant que mon blé croissait, je fis une découverte dont je sus bien profiter par la suite. Dès que les pluies furent passées et que le temps devint beau, ce qui arriva vers le mois de novembre, j'allai faire un tour à ma maison de campagne. Après une absence de quelques mois, j'y trouvai les choses dans le même état où je les avais laissées, et même en quelque sorte améliorées. Le cercle ou la double haie que j'avais formée était non seulement entière, mais encore les pieux que j'avais faits avec des branches d'arbres coupées dans le voisinage avaient tous poussé et produit de longues branches, comme auraient pu faire des saules, qui repoussent généralement la première année, après qu'on les a élagués depuis le tronc jusqu'à la cime.

Ayant planté un double rang de pieux, qui devenaient des arbres, à la distance d'environ huit verges de mon ancienne palissade, ils crûrent fort vite, servirent d'abord de couverture pour mon habitation, et dans la suite même de rempart et de défense.

Je trouvai dès lors qu'on pouvait en général diviser les saisons de l'année, non pas en été et en hiver, comme on fait en Europe, mais en temps de pluie et de sécheresse.

Ce voyage me procura beaucoup de plaisir : je trouvai dans les lieux bas des animaux que je prenais les uns pour des lièvres, les autres pour des renards; mais ils avaient quelque chose de bien différent de tous ceux que j'avais vus jusqu'alors; et quoique j'en tuasse plusieurs, je ne succombai pourtant pas à la tentation d'en manger. En effet, j'aurais eu grand tort de courir quelques risques par rapport aux aliments, puisque j'en avais en quantité et de très bons, entre autres, des boucs, des pigeons et des tortues; si l'on ajoute mes raisins, je défie tous les marchés de Leaden-Hall de mieux fournir une table que je pouvais le faire, à proportion des convives.

Durant ce voyage je ne faisais jamais plus de deux milles ou environ par jour à prendre par le plus court; mais je les faisais avec tant de tours et de détours, pour voir si je ne rencontrerais pas quelque chose d'avantageux, que j'étais assez fatigué toutes les fois que j'arrivais au lieu où je voulais choisir mon gîte pour toute la nuit; et alors je montais sur un arbre, ou bien je me logeais entre deux, plantant un rang de pieux à chacun de mes côtés pour me servir de barricades, ou du moins pour empêcher que les bêtes sauvages ne pussent venir sur moi sans m'éveiller auparavant.

Dès que je fus arrivé au bord de la mer, mon admiration augmenta pour ce côté de l'île; tout ce qui se présentait à ma vue me confirma dans l'opinion où j'étais que le plus mauvais lot m'était échu en partage. Le rivage que j'habitais ne m'avait fourni que trois tortues en un an et demi, au lieu que celui-ci en était couvert. Tout y abondait en oiseaux de plusieurs sortes, dont les uns m'étaient connus, les autres inconnus, la plupart très bons à manger. J'en aurais pu tuer autant que j'eusse voulu; mais j'étais économe de ma poudre et de mon plomb, et je souhaitais plutôt tuer une chèvre, s'il était possible, parce qu'il y avait beaucoup plus à manger. Cependant, quoique cette partie de la côte fût bien plus abondante en boucs que celle où j'habitais, il était néanmoins bien plus difficile de les approcher parce que, ce canton étant plat et uni, ils pouvaient m'apercevoir plus aisément que lorsque j'étais sur les rochers ou sur les collines.

Quelque charmante que fût cette contrée, je ne sentais pourtant pas le moindre désir de changer d'habitation; j'étais accoutumé à celle où je m'étais fixé dès le commencement, et dans le moment même où j'admirais mes belles découvertes, il me semblait que j'étais éloigné de chez moi et dans un pays étranger. Enfin, je pris ma route le long de la côte, tirant à l'est, et je crois que je parcourus bien douze milles; alors je plantai une grande perche sur le rivage pour me servir de marque, et je pris le parti de m'en retourner au logis en décidant pourtant que la première fois que je me mettrais en chemin pour faire un voyage, je prendrais à l'est de mon domicile, et qu'enfin je ferais la moitié du tour de l'île avant d'arriver à ma marque.

Je pris pour m'en retourner un autre chemin que celui par où j'étais venu, croyant que je pourrais aisément avoir l'aspect de toute l'île, et ne pas manquer, en regardant çà et là, de trouver mon ancienne demeure. Je me trompais néanmoins dans ce raisonnement, car lorsque je me fus avancé l'espace de deux ou trois milles dans le pays, je me trouvai au milieu d'une vallée spacieuse, environnée de collines tellement couvertes de bois, qu'il n'y avait aucun moyen de deviner son chemin, à moins que ce fût au cours du soleil; encore aurait-il fallu que je susse la position de cet astre ou l'heure du jour.

Il arriva pour surcroît d'infortune qu'il fit un temps som-

bre durant trois ou quatre jours que je séjournai dans cette vallée : comme je ne pouvais voir le soleil pendant ce temps-là, j'eus le déplaisir d'y être errant et vagabond, de me voir enfin obligé de gagner le bord de la mer, où je cherchai ma perche, et de reprendre le chemin que j'avais déjà fait. Je m'en retournai au logis à petites journées, supportant et le poids de la chaleur, qui était excessive, et celui de mon fusil, de mon fourniment, de ma hache et d'autres provisions.

On ne saurait croire quelle satisfaction ce fut pour moi de revoir mon ancien foyer et de reposer mes membres fatigués dans mon lit suspendu. Le voyage que je venais de faire, sans tenir de route certaine pendant le jour, sans avoir de retraite assurée pour la nuit, m'avait si fort lassé sur la fin, que mon ancienne maison me parut un établissement parfait, où rien ne manquait. Tout ce qui était autour de moi m'enchantait, et je résolus de ne plus m'éloigner désormais pour un temps considérable, aussi longtemps que ma destinée me retiendrait dans l'île.

La saison pluvieuse de l'équinoxe d'automne était revenue. Le 30 septembre étant l'anniversaire de ma descente dans l'île où j'étais depuis deux ans, et d'où je n'avais pas plus d'espérance de pouvoir sortir que le premier jour, je l'observai d'une manière aussi solennelle que l'année précédente. Je m'occupai tout le jour à m'humilier devant Dieu, et à reconnaître sa miséricorde infinie, qui voulait bien accorder à ma vie solitaire des adoucissements sans lesquels elle m'aurait été insupportable.

Je reconnus alors, plus sensiblement que je ne l'avais encore fait, que la vie que je menais était moins déplorable que celle que j'avais menée pendant le cours de mes désordres. Mes chagrins et ma joie commençaient à changer d'objets; je concevais d'autres désirs et d'autres affections; je faisais mes délices de choses toutes nouvelles et différentes de celles qui m'auraient charmé au commencement de mon séjour dans l'île, pour ne pas dire tout le temps que j'y étais. Je lisais la Bible et rendais grâce à Dieu de tous ses bienfaits.

Le mois de novembre était venu, j'attendais ma récolte d'orge et de riz. Le terrain que j'avais cultivé pour recevoir ces grains n'était pas très grand; la quantité que j'avais semée de chaque espèce montait au plus, comme je l'ai déjà remarqué, à un demi-picotin, parce que j'avais perdu le fruit d'une saison pour avoir semé pendant la sécheresse. Mais pour le moment, je me promettais une bonne récolte, lorsque je m'aperçus tout à coup que je serais en danger de perdre le tout, et de me le voir enlever par des ennemis de plusieurs sortes, dont il était presque impossible de défendre mon champ. Les premières hostilités furent commises par les boucs, et ces autres animaux auxquels j'ai donné le nom de lièvres, qui tous, ayant une fois goûté la saveur du blé en herbe, y demeuraient campés nuit et jour, le mangeant à mesure qu'il poussait, et si près du pied qu'il était impossible qu'il eût le temps de se former un épis.

Je ne vis point d'autre remède à ce mal que d'entourer complètement mon blé d'une haie. Il m'en coûta beaucoup de peines et de sueurs pour ce travail, d'autant plus que la chose était pressée et demandait une grande diligence. Cependant, comme la terre labourée était proportionnée à la semence que j'y avais mise, et par conséquent de petite étendue, je l'eus close et mise hors d'insulte dans environ une semaine de temps. Pour mieux donner la chasse à ces maraudeurs, je tirais sur quelques-uns pendant le jour, et leur opposais pendant la nuit, mon chien, que je laissais attaché à un poteau justement à l'entrée de mon clos, d'où il s'élançait çà et là, aboyant contre eux de toutes ses forces. De cette manière, les ennemis furent obligés d'abandonner la place, et bientôt je vis mon blé croître, prospérer et mûrir à vue d'œil.

Si les bêtes fauves avaient fait du dégât dans ma moisson dès qu'elle avait été en herbe, les oiseaux la menacèrent d'une ruine entière au moment qu'elle parut couronnée d'épis; un jour, me promenant le long de la haie pour voir comment allait mon blé, je vis la place entourée d'une multitude d'oiseaux de je ne sais combien de sortes, qui étaient aux aguets, et n'attendaient, pour faire la picorée, que le moment de mon départ. Je fis une décharge sur eux, car je n'allais pas sans mon fusil. Dès que le coup fut tiré, je vis dans l'air une épaisse nuée d'oiseaux que je n'avais point remarqués et qui s'étaient tenus cachés au fond du blé.

Je restai là quelques moments pour recharger mon fusil; puis me retirant un peu à l'écart, il me fut aisé de voir mes voleurs postés en embuscade sur tous les arbres d'alentour, comme s'ils épiaient, pour faire irruption, l'heure de mon départ. L'événement ne me permit point de douter de leur projet; je m'éloignai de quelques pas, comme pour m'en aller tout à fait. A peine avais-je disparu, qu'ils descendaient de nouveau l'un après l'autre dans le champ de blé. J'en fus si irrité, que je n'attendis pas qu'ils y fussent assemblés en plus grand nombre; il me semblait qu'on me rongeait les entrailles, et que chaque grain qu'ils avalaient me coûtait la valeur d'un pain entier. Je m'avançai donc aussitôt près de la haie, je tirai sur eux un second coup, et j'en tuai trois. C'était justement ce que je souhaitais avec ardeur; je les ramassai d'abord, puis, afin de rendre leur punition exemplaire, je les traitai comme on fait en Angleterre des voleurs, que l'on condamne à rester attachés au gibet après leur exécution, afin d'inspirer de la terreur aux autres. On n'imaginerait pas quel bon effet cela produisit. Les oiseaux, depuis ce temps-là, non seulement ne vinrent plus dans mon blé, mais encore ils abandonnèrent tout ce canton de l'île, et je n'en vis aucun dans le voisinage tout le temps que demeura l'épouvantail. J'en eus une joie extrême; et je fis ma récolte sur la fin de décembre, qui est dans ce climat l'instant propice pour la seconde moisson.

Avant de commencer cette corvée, je ne savais comment suppléer à une faucille, instrument qui m'était nécessaire pour couper le blé. Je n'eus d'autre parti à prendre que de m'en fabriquer une, du mieux que je pus avec un des sabres ou coutelas que j'avais trouvés parmi les autres armes restées dans le vaisseau. Ma récolte ayant été peu de chose, celle-ci me coûta moins de peine à recueillir. En glanant la paille, je n'y cherchai que les épis seuls, que j'égrenai ensuite entre mes mains. La moisson achevée, le demi-picotin que j'avais semé se trouva m'avoir produit près de deux boisseaux et demi d'orge, du moins autant que je pouvais l'estimer, puisque je n'avais aucune mesure.

Je résolus de ne point user de cette récolte, mais de la conserver et de l'employer tout entière en semence à la saison prochaine. Je voulus, en attendant, employer toute mon industrie et toutes les heures de mon travail à exécuter le grand dessein que j'avais de perfectionner l'art de labourer, aussi bien que celui de goûter avec agrément les fruits de mon labourage.

Mon blé m'exerçait beaucoup; mais il m'était aussi d'un plus grand secours que tout le reste, et je le regardais comme le plus précieux de tous mes biens. Cependant, tant de chose à faire, et tant d'autres dont j'avais un besoin extrême, m'auraient fait perdre patience sans la conviction qu'il n'y avait point de remède; d'ailleurs, la perte de mon temps ne devait pas me tenir au cœur, parce que, de la manière dont je l'avais divisé, il y avait une certaine partie du jour affectée à ces sortes d'ouvrages. Comme je ne voulais employer aucune portion de mon blé à faire du pain, jusqu'à ce que j'en eusse une plus grande provision, j'avais par devers moi six mois pour tâcher de me fournir par mon industrie, tous les ustensiles propres à tirer le meilleur parti des grains que je recueillerais.

Il me fallait auparavant préparer un plus grand espace de terre, parce que j'avais déjà assez de grain pour ensemencer plus d'un arpent. Je ne pouvais préparer la terre sans me faire une bêche. C'est aussi par où je commençai, et il ne se passa pas moins d'une semaine entière avant que je l'eusse achevée; encore était-elle grossière et informe, de sorte que mon ouvrage en devint une fois plus pénible. Mais rien ne fut capable de me décourager, ni de m'empêcher de passer outre, enfin j'emblavai deux pièces de terre plates et unies, les plus proches de ma maison que je pus trouver, et les entourai d'une bonne haie. Cette clôture était composée de plants de même espèce que celle qui entourait ma maison : je savais qu'elle croîtrait promptement, et que dans un an elle formerait une haie vive qui n'exigerait que peu de réparations. Cet ouvrage m'occupa durant trois mois, parce qu'une partie de ce temps était la saison pluvieuse, qui ne me permettait de sortir que rarement.

Il y avait déjà longtemps que je songeais, à part moi, si je ne pourrais point me faire quelque vase de terre, parce que j'en avais un besoin extrême; mais j'ignorais la méthode qu'il fallait suivre pour pourvoir à ce besoin. Néanmoins, quand je considérais la chaleur du climat, je ne doutais presque pas que si je réussissais seulement à trouver de l'argile convenable, je ne pusse en former un pot, lequel, étant séché au soleil, serait assez dur et assez fort pour être manié et pour qu'on pût y mettre des choses sèches de leur nature et qui demanderaient à être tenues à l'abri de l'humidité. Comme je m'attendais à posséder bientôt une assez grande quantité de blé, de farine, et d'autres choses, je me proposais aussi de les serrer de la manière que je viens de dire; en conséquence, je résolus de me façonner quelques pots, et de les faire aussi grands qu'il me serait possible, afin qu'ils puissent se tenir fermes comme des jarres, et qu'ils fussent prêts à recevoir les différentes choses que je voulais y placer.

Le lecteur aurait pitié de moi, ou peut-être il s'en moquerait, si je lui disais de combien de manières bizarres je m'y pris pour disposer ma matière; je ne pus faire plus de deux grandes et vilaines machines de terre que je n'oserais appeler jarres, et qui me coûtèrent pourtant près de deux mois de travail.

Si j'avais mal réussi dans la combinaison des grands vases, je parvins à en faire bon nombre de petits, comme des pots ronds, des plats, des cruches, des terrines. L'argile prenait sous ma main toutes sortes de figures, et elle recevait au soleil une dureté surprenante.

Tout cela ne répondait pas encore à la fin que je m'étais proposée, qui était d'avoir un pot de terre capable de renfermer des choses liquides et de souffrir le feu; ce que ne pouvait faire aucun des ustensiles dont j'étais déjà pourvu. Au bout de quelque temps, il arriva qu'ayant un bon feu pour apprêter mes viandes je découvris, en fourgonnant dans mon foyer, un morceau de ma vaisselle de terre, qui se trouvait parfaitement cuit, dur comme une pierre, et rouge comme une tuile. Je fus agréablement surpris, je me dis qu'assurément mes pots pourraient très bien cuire étant entiers, puisqu'il s'en cuisait des morceaux séparés dans une si grande perfection.

Cette découverte fut cause que je me mis à considérer comment je ferais pour disposer mon feu de manière que j'y pusse cuire des pots.

Une chose si petite en elle-même me causa la plus grande joie qu'on ait jamais ressentie, quand je vis que j'avais fait un pot qui souffrirait le feu. Et à peine avais-je eu la patience d'attendre que mes vases fussent refroidis que j'en posai un sur le feu, avec de l'eau dedans pour faire bouillir de la viande, ce qui me réussit parfaitement bien; car un morceau de bouc que j'avais mis dans le pot me fit un bon bouillon, quoique je manquasse des autres ingrédients nécessaires pour le rendre aussi parfaitement bon que je l'aurais souhaité.

Cette difficulté surmontée, la première qui se présentait était de me fabriquer un sas ou un tamis, pour préparer ma farine et la séparer du son, sinon je ne voyais pas de possibilité d'avoir du pain. La chose était tellement difficile en elle-même, que je n'avais presque pas le courage d'y penser. En effet, j'étais bien éloigné d'avoir les choses nécessaires pour faire un tamis; car il ne fallait pas moins qu'un beau canevas ou bien quelque autre étoffe transparente pour passer la farine. Je restai dans l'inaction et dans l'incertitude pendant plusieurs mois. Tout ce qui me restait de toile n'était que des guenilles; j'avais à la vérité du poil de bouc, mais je ne savais ni comment le filer, ni comment le travailler au métier, et quand même je l'aurais su, il me manquait les instruments nécessaires. Je me fatiguai la tête à chercher quelque moyen de remédier à cet inconvénient, lorsque je me rappelai enfin qu'il y avait parmi les vêtements de nos mariniers que j'avais sauvés du vaisseau, quelques cravates; je me fis trois petits sacs, assez propres à l'usage auquel je les destinais.

Ensuite venait la boulangerie dont les fonctions devaient s'étendre tant à pétrir qu'à cuire au four. Premièrement, je n'avais point de levain, et je n'entrevoyais aucune possibilité de me procurer une chose de cette nature; je résolus donc de ne m'en plus mettre en peine, et d'en rejeter jusqu'à la moindre pensée. Quant au four, mon esprit était en travail pour imaginer les moyens de m'en fabriquer un. A la fin je trouvai une invention qui répondait assez à mon dessein : je fis quelques vases de terre fort larges, mais peu profonds, c'est-à-dire qu'ils pouvaient avoir deux pieds de diamètre, sur neuf pouces au plus de profondeur. Je les fis cuire au feu, comme j'avais fait les autres et les mis ensuite à part. Quand je voulais enfourner mon pain, je débutais par faire un grand feu sur mon foyer, qui était pavé de briques carrées, formées et placées à ma façon : j'avoue qu'elles n'étaient pas équarries selon les règles de la géométrie. J'attendais ensuite que l'âtre fût extrêmement chaud; alors j'écartais les charbons et les cendres en les balayant proprement, puis je posais ma pâte, que je couvrais d'abord du vase de terre dont on a lu la description, et autour duquel je ramassais les charbons avec les cendres pour y concentrer la chaleur. Ainsi je cuisais mes pains d'orge tout aussi bien que dans le meilleur four du monde.

A présent que la quantité de mes grains augmentait, j'avais véritablement besoin d'élargir ma grange pour les loger. Mes semailles avaient été d'un si grand rapport, que ma dernière récolte montait à vingt boisseaux d'orge, et tout au moins à une pareille quantité de riz. Dès lors, je me voyais en état de vivre à discrétion, moi qui faisais abstinence de pain depuis si longtemps.

Tandis que ces choses se passaient, mes pensées se reportaient sur la découverte que j'avais faite de la terre située vis-à-vis de l'île; et je ne pouvais la voir que je sentisse quelque désir secret d'y aborder.

C'est alors que je regrettai le bateau sur lequel j'avais navigué onze cents milles le long des côtes d'Afrique; mais, comme ces regrets n'aboutissaient à rien, il me vint à la pensée d'aller visiter la chaloupe de notre bâtiment, qui, après notre naufrage, avait été portée par la tempête bien avant sur le rivage, comme je l'ai déjà dit.

Si j'avais eu quelqu'un pour m'aider à la radouber, et à la lancer à la mer, elle aurait pu me servir, et me porter aisément au Brésil; mais j'aurais dû prévoir qu'il m'était aussi impossible de la retourner et de la poser sur sa quille que d'ébranler l'île. Quoi qu'il en soit, je m'en allai dans les bois, où je coupai des leviers et des rouleaux, que j'apportai à l'endroit où elle était, résolu d'essayer mes forces à cet égard, et me persuadant que si je la pouvais une fois dégager de là, il ne me serait pas difficile de réparer les dommages qu'elle avait reçus et d'en faire un bateau avec lequel je pourrais me hasarder sur mer. Je ne m'épargnai pas dans ce travail infructueux, et je pense que je n'y employai pas moins de trois ou quatre semaines. Voyant enfin que mes forces étaient insuffisantes, je me mis à creuser par-dessous, plaçant en même temps plusieurs pièces

de bois pour diriger sa chute, de manière qu'elle pût tomber sur son fond. Mais j'eus beau faire, il ne fut pas possible de la redresser, ni même de réussir à me glisser dessous, bien loin de la faire avancer dans l'eau. Je me vis contraint de me désister de ce projet; cependant, chose étrange, tandis que les espérances que j'avais conçues s'évanouissaient, le désir de m'exposer sur mer, pour gagner le continent, m'aiguillonnait de plus en plus, à mesure que la chose paraissait moins possible.

Je fis donc l'action la plus insensée qu'un homme puisse faire lorsque je me mis à travailler. Je m'applaudissais de former un tel dessein, sans m'être bien convaincu si je serais capable de l'exécuter; non que je pensasse enfin à la difficulté de lancer mon bateau, mais c'était une matière que je n'approfondis point, et je terminai tous mes doutes par cette solution extravagante : faisons-le seulement, et une fois, me disais-je, qu'il sera achevé, nous trouverons bien dans notre imagination le moyen de le mouvoir et de le mettre à flot.

Cette méthode était diamétralement opposée aux règles du bon sens; mais enfin mon entêtement avait pris le dessus, et je me mis à travailler. Je commençai par couper un cèdre : je doute si le Liban en fournit jamais un pareil à Salomon, lorsqu'il bâtissait le temple de Jérusalem.

Ce ne fut pas sans un travail immense que j'abattis cet arbre; car je fus assidu pendant vingt jours à le hacher au pied. Je fus quinze jours de plus à l'ébrancher et à en tailler le sommet vaste et spacieux; j'y employai haches et besaiguës, tout ce que l'art du charpentier me pouvait fournir de plus puissant et toute la vigueur dont j'étais capable. Il me fallut un mois de travail pour le façonner et le raboter, afin d'en faire quelque chose de semblable au dos d'un bateau, de manière qu'il pût flotter droit. Je ne mis guère moins de trois mois à travailler le dedans et à le creuser jusqu'au point d'en faire une chaloupe parfaite. Je vins même à bout de ce dernier point sans me servir de feu ni d'aucun autre moyen que celui du marteau, du ciseau, et en déployant une assiduité que rien ne put ralentir, jusqu'à ce que je me vis possesseur d'un canot fort beau, assez grand pour porter vingt-six hommes; et par conséquent plus que suffisant pour moi et toute ma cargaison.

La seule chose qui me restait à faire, c'était de me mettre en mer; et, s'il m'eût été possible d'exécuter ce dernier point, je ne fais nul doute que j'eusse entrepris le voyage le plus téméraire et où il n'y avait pas la moindre apparence de pouvoir réussir.

Toutes les mesures que je pris pour lancer ce canot à l'eau avortèrent, après m'avoir coûté un travail infini.

Au milieu de cette dernière entreprise, j'arrivai à la fin de la quatrième année de mon séjour dans l'île, et j'en célébrai l'anniversaire avec la même ferveur et avec autant de consolation que je l'avais fait les années précédentes. Je n'avais rien à convoiter, parce que je possédais déjà toutes les choses dont j'étais actuellement capable de jouir. J'étais le seigneur du lieu; je pouvais même, si bon me semblait, me donner le titre de roi, ou, si vous voulez, d'empereur de tout le pays; car tout était soumis à ma puissance.

Il ne m'arriva rien d'extraordinaire pendant l'espace de cinq ans. Je continuai le même genre de vie. Ma principale occupation outre celle de semer mon orge et mon riz, de sécher et de suspendre mes raisins, et d'aller à la chasse, fut, pendant ces cinq années, de faire un canot. Je l'achevai, et en creusant un canal profond de six pieds et large de quatre, je l'amenai dans ma baie. Pour le premier, qui était d'une grandeur prodigieuse et que j'avais fait inconsidérément, je ne pus jamais ni le mettre à flot, ni faire un canal assez grand pour y conduire l'eau de la mer. Je fus obligé de le laisser sur place, comme s'il eût dû me servir de leçon et me rendre plus circonspect à l'avenir. Mais ce mauvais succès ne me rebuta point; je profitai de ma première erreur, et quoique l'arbre que j'avais coupé pour faire ce second canot fût à un demi-mille de la mer, qu'il fût bien difficile d'y amener l'eau de si loin, cependant la chose n'était point impraticable. J'y travaillai pendant deux ans sans épargner ma peine, tant j'espérais sortir enfin de cette île, qui me servait de prison, en trouvant le moyen de naviguer de nouveau.

Mon petit canot terminé, je ne pus me dissimuler que sa grandeur ne répondait point au dessein que j'avais lorsque je commençai à y travailler, et qui était de hasarder un voyage d'environ quarante milles pour gagner la terre ferme. J'abandonnai donc encore ce projet, mais je résolus au moins de faire le tour de l'île. Je l'avais déjà traversée par terre, comme je l'ai dit et les découvertes que j'avais faites alors me donnèrent un violent désir de voir les autres parties des côtes de mon île.

Je me servis de cette embarcation pour me promener de temps en temps sur la mer, mais sans m'écarter jamais de ma petite baie. Enfin, impatient de voir la circonférence de mon royaume, je résolus d'en faire entièrement le tour et je ravitaillai pour cet effet mon bateau.

C'était le 6 de novembre, et l'an sixième de mon règne ou de ma captivité, que je m'embarquai pour ce voyage, qui fut plus long que je ne m'y étais attendu. L'île en elle-même était fort large, mais elle avait à l'est un grand rebord de rochers qui s'étendaient deux lieues avant dans la mer : les uns s'élevaient au-dessus de l'eau, les autres étaient cachés; il y avait en outre, au bout de cette chaîne de rochers, un banc de sable qui était sec et avancé dans la mer d'une demi-lieue; de telle sorte que pour doubler cette pointe j'étais obligé de m'avancer beaucoup en mer.

A la première vue de toutes ces difficultés, je renonçai d'abord à mon entreprise, fondée sur l'incertitude, soit de la longue route qu'il me faudrait faire, soit de la manière dont je pourrais revenir sur mes pas. Je revirai même mon canot, et je le mis à l'ancre; car je m'en étais fait une avec une pièce rompue d'un grappin que j'avais sauvée du vaisseau.

Mon canot en sûreté, je pris mon fusil, et je débarquai; puis je montai sur une petite éminence, d'où je découvris toute l'étendue de cette pointe; ce qui me permit de faire des observations d'après lesquelles je me décidai à effectuer mon voyage.

Je remarquai un courant rapide, qui portait à l'est et qui touchait la pointe de bien près, et je l'étudiai autant que je pus, car j'avais tout lieu de craindre qu'il ne fût dangereux, et que si j'y tombais il ne me portât en pleine mer, d'où il me serait difficile de regagner mon île. La vérité est que les choses seraient arrivées comme je le dis si je n'eusse pris la précaution de monter sur cette éminence; car le même courant régnait de l'autre côté de l'île, avec cette différence cependant qu'il s'en écartait infiniment plus. Je reconnus aussi qu'il y avait une grande barre au rivage, d'où je conclus que je franchirais aisément toutes ces difficultés si j'évitais le premier courant; car je me croyais sûr de pouvoir profiter de cette barre.

Je couchai deux nuits sur cette colline, parce que le vent, qui soufflait assez fort de l'est-sud-est, portait contre le courant et causait divers brisements de mer sur la pointe : il n'était donc pas sûr pour moi, ni de me tenir trop près du rivage, de peur d'échouer, ni de m'avancer trop en mer, car alors je risquais de tomber dans le courant.

Le troisième jour, le vent étant tombé, et la mer étant calme, je recommençai mon voyage. Je n'eus pas plutôt atteint la pointe que je me trouvai dans une mer très profonde et dans un courant aussi violent que le pourrait être une écluse de moulin. Je n'étais pourtant guère éloigné de la terre que de la longueur de mon canot. Ce courant l'emporta avec une telle violence, qu'il me fut impossible de le maintenir auprès du rivage. Je me sentais entraîné loin de la barre qui était à gauche. Le grand calme qui régnait ne me laissait rien espérer des vents, et toute manœuvre n'aboutissait à rien. Je me regardai comme un homme mort; car je savais que l'île était entourée de deux courants, et que par conséquent à la distance de quelques lieues ils devaient se rejoindre. Je me crus irrévocablement perdu et sans aucune espérance de conserver ma vie; non que je craignisse d'être noyé, la mer était trop calme, mais je ne voyais pas que je pusse échapper à la faim.

Personne ne concevra jamais le désespoir où j'étais de me voir emporté loin de ma chère île dans la haute mer. J'en étais alors éloigné de deux lieues et je n'avais plus d'espérance de la revoir. Je travaillai cependant avec beaucoup de vigueur à diriger mon canot vers le nord autant qu'il m'était possible, c'est-à-dire vers le côté du courant où j'avais remarqué une barre. Sur le midi, je crus sentir une bise venant du sud-est, j'en éprouvai quelque joie, et elle s'augmenta de beaucoup une demi-heure après, lorsqu'il s'éleva un vent très favorable. J'étais alors à une distance prodigieuse de mon île; à peine pouvais-je la découvrir, et si le temps eût été changé, c'en était fait de moi : j'avais oublié mon compas de mer : je ne pouvais donc la regagner qu'à la vue. Mais le temps continuant au beau, je mis à la voile, et portai vers le nord, en tâchant de sortir du courant.

Je n'eus pas plutôt déployé ma voile que j'aperçus par la limpidité de l'eau, qu'il allait arriver quelque changement de courant; car lorsqu'il était dans toute sa force, les eaux paraissaient sales, et elles devenaient claires à mesure qu'il diminuait. Je rencontrai à un demi-mille plus loin, vers l'est, un brisement de mer causé par quelques rochers. Ces rochers partagaient le courant en deux; la plus grande partie s'écoulait vers le sud, laissant les rochers au nord-est, tandis que l'autre, repoussée par les écueils, portait avec force vers le nord-ouest.

Il est difficile de comprendre l'empressement avec lequel je mis à la voile pour profiter du vent favorable et du courant de la barre dont j'ai parlé.

Il pouvait être alors quatre heures du soir et j'étais encore éloigné d'une lieue de mon île, quand je découvris la pointe des rochers. Ils s'étendaient au sud, et comme ils y avaient formé ce terrible courant, ils y avaient aussi fait une barre qui portait au nord. Elle était forte, et ne me conduisait pas directement vers mon île; mais, profitant du vent, je la traversai le moins obliquement que je pus et au bout d'une heure j'arrivai à un mille du bord : l'eau y était tranquille, je ne tardai pas à gagner le rivage.

Dès que je fus abordé, me jetant à genoux, je remerciai Dieu de ma délivrance, et résolus de ne plus courir les mêmes risques pour me sauver. Je me rafraîchis du mieux que je pus : je mis mon canot dans un réduit que j'avais remarqué sous des arbres, et, las comme je l'étais du travail et des fatigues de mon voyage, je fus bientôt endormi.

A mon réveil j'étais fort en peine de savoir comment je pourrais faire arriver mon canot dans la baie voisine de ma maison : l'y conduire par la mer, c'était trop risquer; je connaissais les dangers qu'il y avait du côté de l'est, et je n'osais me hasarder à prendre la route de l'ouest; je résolus donc de côtoyer les rivages de l'ouest, espérant rencontrer quelque baie pour y mettre mon canot, afin de pouvoir le retrouver en cas de besoin. Effectivement j'en rencontrai une après avoir côtoyé l'espace d'une lieue; elle me parut fort bonne, et allait en se rétrécissant jusqu'à un petit ruisseau qui s'y déchargeait. J'y mis mon canot, ne pouvant souhaiter de meilleur havre pour cette belle frégate : on aurait dit qu'il avait été travaillé exprès dans l'intention de la recevoir.

Je m'occupai ensuite à reconnaître où j'étais, et je vis qu'il n'y avait pas loin du point où je me trouvais à l'endroit où j'avais été lorsque je traversai mon île. Ainsi, laissant toutes mes provisions dans le canot, hors le fusil et le parasol, car il faisait fort chaud, je me mis en chemin. Quoique je fusse très fatigué, je marchai néanmoins avec assez de plaisir, et j'arrivai sur le soir à la vieille treille que j'avais faite autrefois; tout y était dans le même état. Je l'ai depuis toujours cultivée avec beaucoup de soin; c'était, comme je l'ai dit, ma maison de campagne.

Je sautai par-dessus la haie, et me couchai à l'ombre, car j'éprouvais une lassitude extrême, et je m'endormis d'abord. Vous qui lirez cette histoire, jugez quelle fut ma surprise de m'entendre éveiller par une voix qui m'appelait à divers reprises par mon nom. « Robinson, Robinson Crusoé, où avez-vous été ? Robinson Crusoé, où êtes-vous ? Robinson, Robinson Crusoé, où avez-vous été ? »

Comme j'avais ramé tout le matin et marché tout l'après-midi, j'étais fatigué au point que je ne m'éveillai pas entièrement. Je me sentais assoupi, moitié endormi et moitié éveillé, et je croyais songer que quelqu'un me parlait. Cependant la voix continuait de répéter Robinson Crusoé, Robinson Crusoé, je m'éveillai enfin tout à fait, mais épouvanté et dans la dernière consternation. Je me rassurai néanmoins après avoir vu mon perroquet perché sur la haie : je reconnus d'abord que c'était lui qui m'avait parlé; car je l'avais instruit à prononcer ces mots. Je l'emportai ensuite au logis.

C'était assez d'avoir couru en mer, et j'avais grand besoin de me reposer et de réfléchir sur les dangers que j'avais courus. J'aurais été ravi d'avoir mon canot dans la baie qui était près de ma maison; mais je ne voyais pas que cela fût possible. Je ne voulus plus me hasarder à faire le tour de l'île du côté de l'est.

Après cet incident, je menai plus d'un an une vie retirée, comme on peut bien se l'imaginer. Dans cet intervalle de temps, je me perfectionnai beaucoup dans les professions mécaniques auxquelles mes besoins m'obligeaient, et surtout je conclus, vu le manque où j'étais de plusieurs outils, que j'avais des dispositions toutes particulières pour la charpenterie.

Je fis aussi des progrès très considérables dans la profession de vannier; je trouvai moyen de fabriquer quelques corbeilles assez mal tournées, mais qui ne laissaient pas de m'être utiles.

Ma poudre commençait à diminuer : si elle venait à me manquer, j'étais tout à fait hors d'état d'y suppléer. Cette pensée me fit craindre pour l'avenir. Qu'aurais-je fait sans poudre ? Comment aurais-je pu tuer des chèvres ? Je nourrissais à la vérité une chevrette depuis longtemps; je l'avais apprivoisée, dans l'espérance que j'attraperais peut-être quelque bouc; mais je ne pus le faire que lorsque la chevrette fut devenue une vieille chèvre. Je n'eus pas le courage de la tuer, et je la laissai mourir de vieillesse. Mais étant dans la onzième année de ma résidence, et mes provisions se trouvant fort diminuées, je commençai à songer aux moyens d'avoir des chèvres par adresse. Je souhaitais fort d'en attraper plusieurs qui fussent en vie, et, s'il était possible, d'avoir des chevrettes qui portassent.

Pour cet effet, je tendis des filets, et quelques-unes s'y prirent; mais comme le fil en était très faible, elles s'échappèrent aisément. Je trouvais toujours les amorces mangées, mes filets rompus, et je n'en pouvais faire de plus forts, puisque je manquais de fil d'archal.

J'essayai de les prendre par le moyen d'un trébuchet. Je fis donc plusieurs fossés dans les endroits où elles avaient coutume d'aller paître; je les couvris de claies, que je chargeai de beaucoup de terre, les parsemant d'épis de riz et de blé. Mais mon projet ne réussit point : les chèvres venaient manger mon grain, s'enfonçaient même dans le trébuchet, et pourtant elles trouvaient le moyen d'en sortir. Je m'avisai enfin de tendre une nuit trois trappes; j'allai les visiter le lendemain matin, et je trouvai qu'elles étaient encore tendues, mais que les amorces en étaient arrachées. Tout autre que moi se serait rebuté, mais au contraire je travaillais à perfectionner mes trappes; et en allant un matin pour les visiter, je trouvai dans l'une un vieux bouc d'une grandeur extraordinaire, et dans l'autre trois chevreaux, l'un mâle et les deux autres femelles.

Le vieux bouc était si farouche que je n'en savais que faire. Je n'osais ni entrer dans mon trébuchet, ni par conséquent l'emmener en vie, ce que j'aurais néanmoins souhaité avec beaucoup d'ardeur. Il m'aurait été facile de le tuer, mais cela ne répondait point à mes vues. Je le dégageai donc, et le laissai en pleine liberté. Je ne crois pas qu'on ait jamais vu animal s'enfuir avec plus de frayeur.

Quant aux chevreaux, je les tirai de leur fosse un à un, et, les attachant tous trois à un même cordon, je les amenai chez moi, non sans beaucoup de difficultés. Il se passa quelque temps avant qu'ils voulussent manger; mais enfin, tentés par le bon grain que je mettais devant eux, ils commencèrent à manger, et à s'apprivoiser.

Il me vint à la pensée que je devrais enfermer mes chevreaux dans un certain espace de terrain, que j'entourerais d'une haie très épaisse, afin qu'ils ne pussent se sauver.

Ceux qui entendent la manière de faire cette espèce d'enclos me traiteront sans doute d'homme peu inventif lorsqu'ils apprendront quels arrangements je fis après avoir trouvé un lieu tel que je le désirais : c'était une prairie que deux ou trois petits filets d'eau traversaient, et qui d'un côté était tout ouverte, et de l'autre aboutissait à de grands bois : ils ne pourront, dis-je, s'empêcher de rire de ma prévoyance quand je leur dirai que, d'après mon plan, je devais faire une haie de la longueur de deux milles au moins. Le ridicule de ce plan n'était-ce pas que, faisant un enclos d'une si grande étendue, les chèvres auraient pu devenir sauvages tout autant que si je leur eusse donné la liberté de courir dans l'île, et d'ailleurs je n'aurais jamais pu les attraper.

Ma haie était déjà avancée d'environ cent cinquante pieds lorsque cette pensée me vint. Je changeai donc mon plan et je décidai que la largeur de mon enclos ne serait que d'environ trois cent soixante pieds, et sa longueur à peu près de six cents. Cet espace était assez étendu pour qu'un troupeau médiocre pût y vivre; s'il devenait très nombreux, il m'était aisé d'élargir cet enclos.

Dans l'espace d'un an et demi j'eus un troupeau de douze têtes, tant boucs que chèvres et chevreaux; deux ans après j'en eus quarante-trois, quoique j'en eusse tué plusieurs pour mon usage. Je travaillai ensuite à faire cinq nouveaux enclos, mais plus petits que le premier. J'y ménageai plusieurs petits parcs, pour y chasser les chèvres, afin de les prendre plus commodément, et des portes, pour qu'elles pussent passer d'un enclos dans un autre.

Ce ne fut qu'assez tard que je songeai à profiter du lait de mes chèvres. La première pensée qui m'en vint me causa très grand plaisir, et sans balancer je fis une laiterie. Mes chèvres me donnaient quelquefois huit à dix pintes de lait par jour : je n'avais jamais trait ni vache ni chèvre.

Je dînais, comme un roi, à la vue de toute ma cour : mon perroquet, comme s'il eût été mon favori, avait seul la permission de parler. Mon chien, qui alors était devenu vieux et chagrin, et qui n'avait pas d'animaux de son espèce pour multiplier, était toujours assis à ma droite. Mes deux chats étaient l'un à un bout de la table, et l'autre à l'autre bout, attendant que, par une faveur spéciale, je leur donnasse quelques morceaux de viande.

Il me prit un jour une si violente envie de me porter à la pointe de l'île où j'avais déjà été, et d'observer de nouveau les côtes, en montant sur la petite colline dont j'ai parlé, que je ne pus résister à ce désir. Je me mis donc en chemin.

J'y employai cinq ou six jours, marchant d'abord le long des côtes, droit vers le lieu où j'avais mis autrefois mon canot à l'ancre. De là je découvrirais aisément la colline qui m'avait servi d'observatoire. J'y montai, et quel fut mon étonnement de voir la mer calme et tranquille ! Point de mouvement impétueux, point de courant, non plus que dans ma petite baie.

Je mis mon esprit à la torture pour pénétrer les raisons de ce changement. Je résolus d'observer la mer pendant quelque temps, parce que je soupçonnais que le courant dont j'ai parlé n'avait d'autre cause que la marée; et je ne fus pas longtemps sans être au fait de cette étrange mutation de la mer. Je vis, à n'en pouvoir douter, que le reflux, partant de l'ouest, et se joignant au cours de quelque rivière, était la cause du courant qui m'avait emporté avec autant de violence. Selon que les vents d'ouest et du nord étaient plus ou moins violents, le courant s'étendait jusque sur l'île, ou se perdait, à une moindre distance de la mer. C'était avant midi que je faisais toutes ces observations, et celles que je fis le soir me confirmèrent dans mon opinion. Je revis le courant de même que je l'avais vu autrefois, avec cette différence qu'au lieu de se porter vers mon île, il s'en éloignait d'une demi-lieue.

De toutes ces observations je conclus qu'en remarquant le temps du flux et du reflux de la marée, il me serait très aisé d'amener mon canot auprès de ma maison. Mais le souvenir des dangers passés me causait une telle frayeur que je n'osai jamais réaliser ce projet. J'aimai mieux former un autre plan, dont l'exécution était plus sûre, quoique plus laborieuse; c'était de faire un autre canot. Je me livrai à ce travail avec l'activité que je mettais dans toutes mes entreprises, et ainsi j'eus deux canots, un pour chaque côté de l'île.

J'avais aussi deux plantations. L'une était ma tente ou ma petite forteresse entourée de sa palissade et creusée dans le roc. Je m'y étais aménagé plusieurs chambres; dans la moins humide et la plus grande, qui avait une porte pour sortir hors de la palissade, je tenais les grands pots de terre dont j'ai fait la description, et quatorze ou quinze grandes corbeilles dont chacune contenait cinq ou six boisseaux. Ces corbeilles me servaient à recueillir et à garder mes provisions, et particulièrement mes grains; les uns encore dans leurs épis, et les autres nus, les ayant froissés dans mes mains.

Les pieux de ma palissade étaient devenus de grands arbres, et tellement touffus qu'il m'était impossible d'apercevoir qu'ils renfermassent dans leur centre aucun lieu habité.

Tout auprès, mais dans un endroit moins élevé, j'avais une espèce de petite terre pour y semer mes grains; et comme je la tenais toujours fort bien cultivée, j'en tirais chaque année une abondante récolte. S'il y avait eu de la nécessité pour moi d'avoir plus de grains, j'aurais pu l'agrandir sans beaucoup de peine.

Mes vignes étaient aussi dans ces quartiers; j'en tirais des provisions de raisins pour tout l'hiver. Je les ménageais avec toute la précaution possible; c'était un de mes mets les plus délicieux. Ils me servaient de nourriture, de rafraîchissements et de médicaments.

Un jour, que j'allais à mon canot, je découvris très distinctement sur le sable les marques d'un pied nu : jamais je ne fus saisi d'une plus grande frayeur : je m'arrêtai tout court, comme si j'eusse été frappé de la foudre, ou comme si j'eusse vu quelque apparition. Je me mis aux écoutes, je regardai tout autour de moi; mais je ne vis et n'entendis rien : je montai sur une petite éminence pour étendre ma vue au loin, j'en descendis, et j'allai au rivage; mais je n'aperçus rien de nouveau, ni aucun vestige d'homme que celui dont je viens de parler. J'y retournai, dans l'espérance que ma crainte n'était peut-être qu'une illusion; mais je revis les mêmes marques d'un pied nu, les orteils, les talons et tous les autres indices d'un pied d'homme. Je ne savais qu'en conjecturer : je m'enfuis vers ma fortification, tout troublé, regardant derrière moi presque à chaque pas, et prenant tous les buissons que je rencontrais pour des hommes. Il n'est pas possible de décrire les diverses figures qu'une imagination effrayée trouve dans tous objets. Combien d'idées folles et de pensées bizarres me sont venues à l'esprit pendant que je courais vers ma forteresse !

Je n'y fus pas plutôt arrivé que je m'y jetai comme un homme qu'on poursuit, et je ne puis me souvenir si j'y entrai par l'échelle, ou par le trou qui était dans le roc, et que j'appelais une porte. J'étais trop effrayé pour que le souvenir m'en soit resté. Jamais lapin ni renard ne se terra avec plus de frayeur que je me sauvai dans mon château, car c'est ainsi que je l'appellerai dans la suite.

Revenant à des idées plus saines, je pensai enfin que ce ne pouvaient être que des sauvages du continent, qui, ayant mis en mer avec leurs canots, avaient été portés dans l'île par les vents contraires, ou par les courants, et qui avaient eu aussi peu d'envie de rester sur ce rivage désert que j'en avais moi-même de les y voir.

Pendant que ces réflexions roulaient dans mon esprit, je rendis grâce au ciel de ce que je ne m'étais pas trouvé alors dans cet endroit de l'île, et de ce que ma chaloupe avait échappé aux yeux des sauvages, qui autrement se seraient aperçus que l'île était habitée, ce qui aurait pu les porter à me chercher et peut-être m'aurait fait découvrir.

Dès que je fus un peu remis de mes alarmes, je sortis de ma retraite pour aller fureter partout à mon ordinaire. Je n'étais pas encore sorti de mon château depuis trois jours et autant de nuits, et je commençais à languir de faim, n'ayant rien chez moi que quelques biscuits à l'eau; je songeai d'ailleurs que mes chèvres avaient grand besoin d'être traites, ce qui était d'ordinaire mon amusement du soir. Je n'avais pas tort d'en être en peine : les pauvres animaux avaient beaucoup souffert, plusieurs en étaient très malades, et le lait de la plupart était desséché.

Encouragé par la pensée que je n'avais eu peur que de

mon ombre, j'allai à ma maison de campagne; on m'aurait pris pour un homme agité par la plus mauvaise conscience, à voir avec quelle crainte je marchais, combien de fois je regardais derrière moi, comme je posais de temps en temps à terre mon pot au lait, pour courir avec autant de vitesse que s'il se fût agi de sauver ma vie.

Cependant, après y être allé de cette manière pendant deux ou trois jours, je devins plus hardi, et je me confirmai dans le sentiment que j'avais été la dupe de mon imagination. Pour m'en convaincre pleinement je me transportai sur les lieux, afin de mesurer le vestige qui m'avait causé tant d'inquiétude. Mais dès que je fus arrivé à l'endroit fatal, je vis clairement qu'il n'était pas possible que je fusse sorti de ma barque près de là, et, qui plus est, je trouvai le vestige dont il s'agit bien plus grand que mon pied, ce qui me causa de nouvelles angoisses. Un frisson me saisit comme si j'avais eu la fièvre, et je m'en retournai chez moi persuadé que des hommes étaient descendus sur ce rivage, ou que l'île était habitée, et que je courais le risque d'être attaqué à l'improviste, sans savoir de quelle manière me précautionner.

Je me proposai d'abord de jeter à bas mes enclos, de faire entrer dans les bois mon troupeau apprivoisé, et d'aller chercher dans un autre coin de l'île des commodités pareilles à celles que je voulais sacrifier à ma conservation. Je résolus encore de renverser ma maison de campagne, et de bouleverser mes deux terres couvertes de blé, afin d'ôter aux sauvages jusqu'aux moindres soupçons capables de les amener à la découverte des habitants de l'île.

Je commençai même à me repentir d'avoir percé ma caverne si avant, et de lui avoir donné une sortie dans l'endroit où ma fortification joignait le rocher. Pour remédier à cet inconvénient, je résolus de me faire un second retranchement également en demi-cercle, à quelque distance de mon rempart, à la place même où douze ans auparavant j'avais planté une double rangée d'arbres. Je les avais mis si serrés, qu'il ne me fallait qu'un petit nombre de palissades entre deux pour en faire une fortification suffisante.

Je me trouvais ainsi derrière deux remparts; celui de dehors était fortifié de pièces de bois, de vieux câbles, et de tout ce que j'avais jugé propre à le renforcer, et je le rendis épais de plus de dix pieds à force d'y apporter de la terre, et de lui donner de la consistance en marchant dessus. Je pratiquai cinq ouvertures assez larges pour y passer le bras et dans lesquelles je plaçai cinq mousquets, en guise de canons, sur des espèces d'affûts, de telle manière que je pouvais faire feu de toute mon artillerie en deux minutes. Je me fatiguai pendant plusieurs mois à terminer ce retranchement, et je n'eus point de repos avant de le voir fini.

Ainsi je pris pour ma conservation toutes les mesures que la prudence humaine pouvait me suggérer.

Pendant ces occupations, je ne laissais pas d'avoir l'œil sur mes autres affaires; je m'intéressais surtout à mon petit troupeau de chèvres, qui commençait non seulement à m'être d'une grande ressource dans les occasions présentes, mais qui, pour l'avenir, me faisait espérer une grande économie de plomb, de poudre et de fatigue, que sans lui, j'aurais dû employer à la chasse des chèvres sauvages. J'aurais été au désespoir de perdre un avantage aussi considérable, et d'être obligé de prendre la peine d'assembler et d'élever un autre troupeau.

Je mis aussitôt la main à l'œuvre, et en moins d'un mois j'avais si bien aidé la nature, que mes chèvres, qui étaient déjà passablement bien apprivoisées, pouvaient être en sûreté dans cet asile : j'y conduisis d'abord deux femelles et deux mâles, puis je me mis à perfectionner mon ouvrage à loisir.

Le seul vestige d'un homme me coûta tout ce travail

et il y avait déjà deux ans que je vivais dans ces transes mortelles.

Un jour, m'avançant vers la pointe occidentale de l'île plus que je n'avais encore fait, je crus apercevoir, d'une hauteur où j'étais, une chaloupe bien loin en mer; j'avais trouvé quelques lunettes d'approche dans un des coffres que j'avais sauvés du vaisseau; mais par malheur je n'en avais pas alors sur moi, et ne pus distinguer l'objet en question, quoique j'eusse fatigué mes yeux à force de diriger mes regards sur lui. Ainsi, je restai dans l'incertitude si c'était une chaloupe ou non; d'où je pris la résolution de ne plus sortir sans emporter une de mes lunettes.

Etant descendu de la colline, et me trouvant dans un endroit où je n'avais jamais été, je fus pleinement convaincu qu'un vestige d'homme n'était pas une chose fort rare dans mon île, et que si la Providence ne m'avait pas jeté du côté où les sauvages ne venaient jamais, j'aurais su qu'il était très ordinaire aux canots du continent de chercher une rade dans cette île quand ils se trouvaient par hasard trop avant dans la haute mer. J'aurais appris encore qu'après quelque combat entre les canots de différentes peuplades, les vainqueurs menaient leurs prisonniers sur mon rivage pour les tuer et pour les manger.

Un spectacle qui s'offrit alors à moi, sur le rivage du côté sud-ouest, m'instruisit de toutes ces particularités; ce spectacle me remplit d'étonnement et d'horreur : j'aperçus la terre parsemée de crânes, de mains, de pieds, et d'autres ossements humains; près de là étaient les restes d'un feu, et un banc creusé dans la terre, en forme de cercle, où sans doute ces cannibales s'étaient placés pour faire leur épouvantable festin.

L'horreur qui me resta de leur brutale coutume me jeta dans une espèce de mélancolie, et me tint pendant deux ans renfermé dans mes domaines; j'entends par là mon château, ma maison de campagne, et mon nouvel enclos dans les bois. Je n'allai dans ce dernier lieu, qui était la demeure de mes chèvres, que quand il le fallait absolument, tant je craignais de rencontrer ces sauvages féroces. Je n'avais garde non plus d'aller examiner l'état de ma chaloupe, et je résolus d'en construire une autre, car il ne fallait plus songer à faire le tour de l'île avec la vieille, puisque c'était le vrai moyen de les rencontrer en mer, et de tomber entre leurs mains.

Enfin le temps et la certitude où j'étais que je ne courais aucun risque d'être découvert me firent reprendre peu à peu ma manière de vivre ordinaire, excepté que j'avais l'œil plus au guet qu'auparavant, et que je ne tirais plus mon fusil, de peur d'exciter la curiosité des sauvages, si par hasard ils se trouvaient dans l'île.

Je ne sortais jamais sans mon mousquet; et comme j'avais sauvé trois pistolets du vaisseau, j'en portais toujours deux à ma ceinture de peau de chèvre. J'y ajoutais un de mes grands coutelas bien fourbi et pour lequel j'avais fait un baudrier de la même étoffe.

Je parcourus ainsi armé la partie centrale de l'île et découvris une grotte.

L'entrée de cette caverne était derrière un grand rocher, et je la découvris par hasard, ou, pour parler plus sagement, par un effet particulier de la Providence, en coupant quelques grosses branches d'arbre pour les brûler et pour conserver le charbon.

Dès que j'eus trouvé cette ouverture derrière quelques broussailles épaisses, ma curiosité me porta à y entrer, ce que je fis avec peine. J'en trouvai le dedans suffisamment large pour m'y tenir debout; mais j'avoue que j'en sortis avec plus de précipitation que je n'y étais entré, après que, portant mes regards plus loin dans cet antre obscur, j'y aperçus deux grands yeux brillants comme deux étoiles sans savoir si c'étaient les yeux d'un homme ou d'un animal redoutable.

Après quelques moments de délibération, je revins à moi et je me reprochai ma faiblesse, moi qui vivais depuis vingt ans dans ce désert, et qui avait l'air plus effroyable peut-être que tout ce qu'il pouvait y avoir d'affreux dans la caverne. Je repris courage, et me saisissant d'un tison enflammé, je rentrai dans l'antre d'une manière brusque; mais à peine eus-je fait trois pas en avant, que ma frayeur redoubla par un grand soupir que j'entendis, suivi de sons semblables à des paroles mal articulées, et d'un autre soupir encore plus terrible. Une sueur froide couvrit mon corps, et si j'avais eu un chapeau sur la tête, je crois que mes cheveux, à force de se dresser, l'auraient fait tomber à terre. Je fis cependant tous mes efforts pour dissiper ma crainte; et avançant avec intrépidité, je découvris un vieux bouc, d'une grandeur extraordinaire, couché à terre et près de mourir de vieillesse.

Je le poussai un peu, afin d'essayer si je pourrais le faire sortir de là; il fit quelques efforts pour se lever sans y réussir. Je m'en mettais peu en peine, persuadé que tant qu'il serait en vie il ferait la même peur à tout sauvage assez hardi pour pénétrer dans cet antre.

Pleinement tranquillisé, je portai mes yeux de tous côtés, et je trouvai la caverne assez étroite et sans régularité; la nature seule y avait travaillé, sans aucun secours de l'industrie humaine. Je découvris dans l'enfoncement une seconde ouverture, mais si basse qu'il était impossible d'y entrer autrement qu'en se traînant sur les pieds et les mains, ce que je différai jusqu'à ce que je fusse muni d'une lumière. J'y revins le lendemain avec une provision de six grosses chandelles de graisse de chèvre.

C'était la plus charmante grotte qu'on puisse imaginer, quoique parfaitement obscure; le fond en était uni et sec, couvert d'un gravier fin; on n'y voyait aucune trace d'animal venimeux, aucune vapeur ne s'y faisait sentir, aucune humidité ne se manifestait sur les murailles.

Le seul désagrément, c'était la difficulté de l'entrée; mais ce désagrément même en faisait la sûreté. J'étais charmé de ma découverte, et je résolus d'abord de porter dans cette grotte tout ce dont la conservation m'importait le plus, surtout mes munitions et mes armes de réserve.

Dans cette situation, je me comparais aux géants de l'antiquité qui habitaient des antres inaccessibles, persuadé que lorsque les sauvages me donneraient la chasse, en quelque nombre qu'ils fussent, ils ne m'atteindraient pas, ou du moins n'oseraient m'attaquer de vive force dans ma nouvelle grotte.

Le vieux bouc mourut le jour d'après ma découverte, à l'entrée de la caverne, où je trouvai plus qu'à propos de l'enterrer que de m'efforcer à tirer son cadavre dehors.

J'étais alors dans la vingt-troisième année de ma résidence dans cette île, et si accoutumé à ma manière d'y vivre que, sans la crainte des sauvages, j'aurais été en quelque sorte content d'y passer le reste de mes jours, et de mourir dans la grotte où j'avais donné la sépulture au pauvre animal.

J'étais content, encore un coup, pourvu que les sauvages ne vinssent pas trop troubler ma tranquillité.

Le ciel en avait ordonné autrement, et je conseille à tous ceux qui liront mon histoire d'en tirer la réflexion suivante : Combien de fois n'arrive-t-il pas dans le cours de notre vie que le mal que nous évitons avec le plus grand soin, et qui nous paraît le plus terrible quand nous y sommes tombés, est pour ainsi dire la porte de notre délivrance et l'unique moyen de finir nos malheurs ? Cette vérité a été surtout remarquable durant les dernières années de ma vie solitaire dans cette île, comme le lecteur le verra bientôt.

C'était au mois de décembre, temps ordinaire de ma moisson, qui m'obligeait à passer presque tous les jours entiers à la campagne, lorsque, sortant un peu avant le lever du soleil, je fus surpris par la vue d'une lumière sur le rivage, à une grande demi-lieue de moi. Elle ne s'offrait pas du côté où j'avais observé que les sauvages abordaient d'ordinaire, et je vis avec la plus vive douleur que c'était du côté de mon habitation.

La peur d'être surpris me fit entrer bien vite dans ma grotte, où j'avais beaucoup de peine à me croire en sûreté, parce que mon grain à moitié coupé pouvait découvrir aux sauvages que l'île était habitée, et les porter à me chercher partout jusqu'à ce qu'ils m'eussent déterré.

Dans cette appréhension, je retournai vers mon habitation, et ayant retiré mon échelle après moi, je me préparai à la défense : je chargeai tous mes pistolets et l'artillerie que j'avais placée dans mon nouveau retranchement, résolu de me battre jusqu'à mon dernier soupir; et dans cette posture j'attendis l'ennemi pendant deux heures, fort impatient de savoir ce qui se passait au-dehors.

N'ayant personne pour aller à la découverte, et incapable de soutenir plus longtemps une si cruelle incertitude, je m'enhardis à monter sur le haut du rocher par le moyen de mes deux échelles, et, me mettant ventre à terre, je me servis de ma lunette d'approche pour reconnaître l'état des choses. Je vis d'abord neuf sauvages assis en rond autour d'un petit feu, non pour se chauffer : car il faisait une chaleur extrême, mais apparemment pour préparer quelques mets de chair humaine destinée à leurs horribles festins.

Ils avaient avec eux deux canots qu'ils avaient tirés sur le rivage; et, comme c'était alors le temps du flux, ils paraissaient attendre le reflux pour s'en retourner, ce qui calma mon inquiétude : en effet, je conclus de là qu'ils venaient et s'en retournaient toujours de la même manière, et que je pouvais battre la campagne sans danger pendant le reflux, pourvu que je n'eusse pas été découvert auparavant sur le rivage. Cette observation me fit continuer ma moisson dans la suite avec assez de tranquillité.

La chose arriva précisément comme je l'avais conjecturé : dès que la marée commença à porter du côté de l'occident, je les vis se jeter dans leurs barques et faire force de rames, après s'être divertis auparavant par des danses, par des postures et par des gesticulations bizarres.

Descendu sur le rivage, je revis les horribles traces de leur brutale coutume, et j'en conçus tant d'indignation, que je résolus de nouveau de tomber sur la première troupe que je rencontrerais, quelque nombreuse qu'elle pût être.

Les visites qu'ils faisaient dans l'île devaient être fort rares, puisqu'il se passa plus de quinze mois avant que j'en revisse le moindre vestige. Je vécus pendant ce temps dans de cruelles appréhensions, dont je ne voyais aucun moyen de me délivrer.

J'étais néanmoins toujours dans mon humeur meurtrière, et j'employais presque toutes les heures du jour, dont j'aurais pu faire un meilleur usage, à dresser mon nouveau plan d'attaque, lorsque j'en aurais l'occasion, surtout si leurs forces étaient divisées comme la dernière fois. Je ne considérais pas qu'en tuant tantôt quelques gens de leur parti, tantôt quelques autres, ce serait toujours à recommencer, et qu'à la fin je deviendrais un plus grand meurtrier que ceux-là même dont je voulais punir la barbarie.

Durant ces quinze mois je passais les jours dans des pensées inquiètes, et les nuits j'avais des songes effrayants qui me réveillaient en sursaut : je rêvais que je tuais des sauvages, ou je pesais les raisons qui m'autorisaient à ce carnage.

Vers le milieu du mois de mai (selon le poteau où je marquais chaque jour, et qui me servait de calendrier) il s'éleva une tempête horrible, accompagnée de tonnerre et d'éclairs. La nuit suivante ne fut pas moins épouvantable : et lorsque j'étais occupé à lire dans la Bible et à faire de sérieuses réflexions sur ma lecture, je fus surpris d'un bruit semblable à celui d'un coup de canon tiré en mer.

Cette surprise était bien différente de celles qui m'avaient saisi jusqu'alors; je me levai avec tout l'empressement possible, et en un instant je parvins au haut du rocher par le moyen de mes échelles. Dans le même moment une lumière me prépara à entendre un second coup de canon qui frappa mes oreilles une demi-minute après et dont le son devait venir du côté de la mer où j'avais été emporté dans ma chaloupe par le courant.

Je jugeai d'abord que ce devait être un vaisseau en péril, qui, par ses signaux, demandait du secours à quelque autre bâtiment qui allait avec lui de conserve. Je songeai, d'après cette circonstance, que si j'étais incapable de lui donner du secours, il pourrait peut-être m'en donner, et dans cette vue je ramassai tout le bois sec qui était aux environs, j'en fis un feu au haut de la colline; quoique le vent fût violent il ne laissa pas de s'enflammer à merveille, et j'étais sûr qu'il devait être aperçu par ceux du vaisseau, si mes conjectures là-dessus étaient justes. Ils le virent sans doute; car à peine mon feu était-il dans toute sa force, que j'entendis un troisième coup de canon, suivi de plusieurs autres, venant du même endroit. J'entretins mon feu toute la nuit; et quand il fit jour et que le ciel se fut éclairci je vis quelque chose à une grande distance, à l'est de l'île, sans pouvoir la distinguer même avec mes lunettes.

J'y fixai mes yeux constamment pendant toute la matinée; et comme je voyais l'objet dans le même lieu, je crus enfin que c'était un vaisseau à l'ancre. Je pris mon fusil, et je m'avançai à grands pas du côté de la partie méridionale de l'île, où les courants m'avaient porté autrefois au pied de quelques rochers; je montai sur le plus haut de tous, et le temps étant alors serein, je vis, à mon grand regret, le corps d'un vaisseau qui s'était brisé dans la nuit sur les rocs cachés que j'avais trouvés quand je me mis en mer avec ma chaloupe, et qui, résistant à la violence de la marée, faisaient une espèce de contre-marée par laquelle j'avais été délivré d'un des plus grands dangers que j'eusse courus de ma vie.

C'est ainsi que ce qui sauve l'un perd l'autre; car il semble que ces gens n'ayant aucune connaissance de ces rochers entièrement cachés sous l'eau, y avaient été portés pendant la nuit par un vent qui était tantôt est et tantôt nord-est. S'ils avaient découvert l'île, ce qu'apparemment ils ne firent point, ils auraient sans doute tâché de se sauver à terre dans leur chaloupe. Les coups de canon qu'ils avaient tirés en voyant mon feu firent naître un grand nombre de différentes pensées dans mon imagination : tantôt je croyais qu'apercevant cette lumière ils s'étaient mis dans leur chaloupe, ce qui arrive souvent quand les vagues, entrant dans le vaisseau, forcent les matelots à mettre la chaloupe en pièces, ou à la jeter à la mer. D'autres fois, je trouvais vraisemblable que les vaisseaux qui allaient avec celui-ci de concert, avertis par ses signaux, en avaient sauvé l'équipage. Dans d'autres moments, je pensais que les courants les avaient emportés sur le vaste Océan, où il n'y avait point de salut à attendre pour eux, et où ils mourraient peut-être de faim, à moins que de se manger les uns les autres.

La mer était devenue calme, et j'avais grande envie de visiter le vaisseau, moins dans l'espérance d'y trouver quelque chose d'utile que pour voir s'il n'y avait pas quelque créature vivante dont je pusse sauver la vie, et rendre par là la mienne beaucoup plus agréable. Cette pensée faisait une si forte impression sur moi, que je n'eus de repos ni jour ni nuit que mon dessein ne fût exécuté.

Je préparai donc tout pour mon voyage. Je pris une bonne quantité de pain, un pot rempli d'eau fraîche, une bouteille de rhum, dont j'étais encore suffisamment pourvu, et un panier rempli de raisins secs. Chargé de ces provisions, je descendis vers ma chaloupe, je retournai pour

chercher le reste de ce qui m'était nécessaire, savoir : du riz, un parasol, deux douzaines de mes gâteaux, un fromage, et un pot de lait de chèvre. Mon petit bâtiment ainsi chargé, je priai Dieu de bénir mon voyage, et, rasant le rivage, je vins à la dernière pointe de l'île du côté du nord-est, d'où il fallait entrer dans l'Océan, si j'étais assez hardi pour poursuivre mon entreprise. Je regardai avec beaucoup de frayeur les courants qui avaient autrefois failli me faire périr; et ce souvenir ne pouvait que me décourager, car si j'avais le malheur d'y donner, ils m'emporteraient certainement bien avant dans la mer, hors de la vue de mon île et si un vent un peu fort se levait, c'était fait de moi.

J'en fus effrayé au point que je commençai à abandonner ma résolution; ayant tiré ma chaloupe dans une petite sinuosité du rivage, je me mis sur un petit tertre, flottant entre la crainte et le désir d'achever mon voyage; j'y restai si longtemps que je vis que la marée changeait, et que le flux commençait à revenir ce qui rendait mon dessein impraticable pendant quelques heures. Ensuite il me passa dans l'esprit de monter sur la dune la plus élevée, pour observer quelle route prenaient les courants pendant le flux, afin de juger si, emporté par un des courants en me mettant en mer, il n'y en avait pas un autre qui pût me ramener avec la même rapidité. Je trouvai bientôt une hauteur d'où l'on pouvait observer la mer de côté et d'autre, et de là je vis clairement que, comme le courant du reflux sortait du côté de la pointe méridionale de l'île, ainsi le courant du flux rentrait du côté nord, et qu'il était propre à me reconduire chez moi.

Enhardi par cette observation, je résolus de sortir le lendemain avant le commencement de la marée, et je le fis, après avoir reposé la nuit dans ma barque.

C'était un bien triste spectacle : le vaisseau, qui paraissait espagnol par sa structure, était comme cloué entre deux rocs. Lorsque j'en fus tout près, un chien parut sur le tillac; me voyant venir, il se mit à aboyer. Je l'appelai, il sauta dans la mer, et je l'aidai à entrer dans ma barque; il était à moitié mort de faim et de soif : je lui donnai un morceau de pain, qu'il engloutit comme un loup qui aurait langui pendant quinze jours dans la neige; je lui fis boire ensuite de l'eau fraîche, et si je l'avais laissé faire il serait crevé. Excepté le chien, il n'y avait rien de vivant dans tout le bâtiment.

Presque toute la cargaison me parut détériorée par l'eau; je vis pourtant quelques tonneaux remplis apparemment de vin ou d'eau-de-vie, mais ils étaient trop gros pour que je pusse en tirer le moindre usage. Il y avait encore plusieurs coffres, j'en mis deux dans ma chaloupe sans examiner ce qu'ils contenaient.

J'aperçus dans une des chambres plusieurs fusils et un grand cornet à poudre où il y en avait à peu près quatre livres; je m'en saisis mais je laissai là les armes, parce que j'en avais suffisamment. Je m'appropriai encore une pelle à feu et des pincettes, dont j'avais un extrême besoin; deux chaudrons de cuivre, un gril, et une chocolatière. Je m'en retournai avec cette charge et avec le chien, voyant venir la marée qui devait me ramener chez moi; et le même soir je revins à l'île extrêmement fatigué de ma course.

Après avoir reposé cette nuit dans ma chaloupe, je résolus de porter mes nouvelles acquisitions dans ma grotte, plutôt que dans mon château; mais je trouvai bon d'en faire auparavant l'examen.

Au fond du coffre je trouvai trois grands sacs de pièces de huit, au nombre à peu près de onze cents, outre un petit papier qui renfermait six doubles pistoles, et quelques petits joyaux d'or qui pouvaient peser ensemble environ une livre. Je trouvai dans le second coffre une cinquantaine de pièces de huit, mais point d'or, d'où je pouvais inférer qu'il avait appartenu à un plus pauvre maître que celui du premier, qui était sans doute quelque officier d'un grade assez élevé.

Je regrettai vivement de n'avoir pu pénétrer dans le fond du bâtiment, car j'en aurais pu tirer de quoi charger plus d'une fois ma chaloupe, et j'aurais amassé un trésor considérable, qui aurait été en sûreté dans ma grotte, et que j'aurais pu aisément faire parvenir dans ma patrie, si la bonté du ciel permettait un jour que je sortisse enfin de l'île : tant il est vrai que, même dans les positions de la vie où l'or est le moins nécessaire, il suffit d'être à portée d'en acquérir beaucoup pour désirer d'en posséder une grande quantité !

Après avoir mis mes acquisitions en lieu sûr, je replaçai ma barque dans sa rade ordinaire, et je m'en revins à ma demeure, où je trouvai tout dans l'état où je l'avais laissé. Je me remis à vivre à ma manière accoutumée et à m'appliquer à mes affaires domestiques. Pendant quelque temps je jouis d'un assez grand repos, excepté que j'étais toujours sur mes gardes et que je sortais rarement. Maintenant, je souhaitais de rencontrer des cannibales.

Je me faisais fort de m'assurer assez bien de trois de ces sauvages, pour me les assujettir entièrement, et pour leur ôter tout moyen de me nuire je me complaisais dans cette idée avantageuse de mon savoir-faire, et rien ne me manquait selon moi, que l'occasion de l'employer.

Elle parut à la fin se présenter : un matin je distinguai sur le rivage jusqu'à six canots dont les sauvages étaient à terre, et hors de la portée de ma vue. Je savais qu'ils venaient d'ordinaire au moins cinq ou six dans chaque barque, par conséquent leur nombre dérangeait toutes mes mesures. Quelle possibilité pour un seul homme d'en venir aux mains avec une trentaine ? Cependant après avoir été dans l'irrésolution pendant quelques moments, je préparai tout pour le combat. J'écoutai attentivement si j'entendais quelque bruit; ensuite, laissant mes deux fusils au pied de mon échelle, je me plaçai de manière que ma tête n'en dépassait pas le sommet. De là j'aperçus, par le moyen de mes lunettes, qu'ils étaient trente au moins; qu'ils avaient allumé du feu pour préparer leur festin, et qu'ils dansaient alentour avec mille postures et mille gesticulations bizarres, selon la coutume du pays.

Un moment après, je les vis tirer d'une barque deux misérables pour les mettre en pièces. Un des deux tomba bientôt à terre, assommé, à ce que je crois, d'un coup de massue ou de sabre de bois; sans délai, deux ou trois de ses bourreaux se jetèrent dessus, lui ouvrirent le corps, et se préparèrent les morceaux pour leur infernale cuisine, tandis que l'autre victime se tenait près de là, attendant que ce fût son tour d'être immolée. Ce malheureux se trouvant alors un peu en liberté, la nature lui inspira quelque espérance de se sauver, et il se mit à courir avec toute la vitesse imaginable, directement de mon côté, je veux dire du côté du rivage qui menait à mon habitation.

Je fus alors pleinement convaincu que l'occasion était favorable pour m'acquérir un compagnon et que j'étais appelé évidemment par le ciel à sauver la vie de ce pauvre malheureux. Dans cette persuasion, je descendis précipitamment du rocher pour prendre mes fusils, et remontant avec la même ardeur, je m'avançai vers la mer : je n'avais pas grand chemin à faire, et bientôt je me jetai entre les poursuivants et le poursuivi, en tâchant de lui faire entendre par mes cris de s'arrêter. Je lui fis encore signe de la main; mais je crois qu'au commencement il avait tout aussi peur de moi que de ceux auxquels il tâchait d'échapper. J'avançai cependant vers eux à pas lents, et ensuite me jetant brusquement sur le premier, je l'assommai d'un coup de crosse; j'aimais mieux m'en défaire de cette manière que de faire feu sur lui, de peur d'être entendu des autres, quoique la chose fût fort difficile à une si grande distance; il eût d'ailleurs été impossible aux sauvages de savoir ce que signifiait ce bruit inconnu.

Le second, voyant tomber son camarade, s'arrête tout court, comme effrayé : je continue d'aller droit à lui; mais, en approchant, je le vois armé d'un arc auquel il ajuste une flèche, ce qui m'oblige à le prévenir, et je le jette à terre roide mort du premier coup. Pour le pauvre fuyard, quoiqu'il vît ses deux ennemis hors de combat, il était si épouvanté du feu et du bruit, qu'il s'arrêta tout à coup sans sortir du même endroit, et je vis dans son air troublé plus d'envie de s'enfuir que d'approcher. Je lui fais encore signe de venir à moi; il fait quelques pas, puis il s'arrête encore, et continue ce même manège pendant quelques moments : il s'imaginait sans doute qu'il était devenu prisonnier une seconde fois, et qu'il allait être tué comme ses deux ennemis. Enfin, après que je lui eus fait signe d'approcher pour la troisième fois de la manière la plus propre à le rassurer, il s'y hasarda en se mettant à genoux à chaque dix ou douze pas, pour me témoigner son obéissance. Pendant tout ce temps, je lui souriais aussi gracieusement qu'il m'était possible. Enfin, étant arrivé près de moi, il se jette à mes genoux, il baise la terre, pour me faire comprendre sans doute qu'il me jurait fidélité et qu'il me rendait hommage en qualité d'esclave. Je le relevai en lui faisant des caresses pour l'encourager de plus en plus; mais l'affaire n'était pas encore finie : je vis bientôt que le sauvage que j'avais fait tomber d'un coup de crosse n'était pas mort, et qu'il n'avait été qu'étourdi; je le fis remarquer à mon prisonnier qui là-dessus prononça quelques mots que je n'entendis pas, mais qui ne laissèrent pas de me charmer, car c'était le premier son d'une voix humaine qui eût frappé mes oreilles depuis vingt-cinq ans.

Il n'était pas encore temps de m'abandonner à ce plaisir : le sauvage avait déjà repris assez de forces pour se mettre sur son séant, et la frayeur s'empara de mon captif;

néanmoins, dès qu'il me vit faire mine de lâcher mon second coup de fusil sur ce malheureux, il me fit entendre par signes qu'il souhaitait m'emprunter mon sabre, ce que je lui accordai. A peine s'en est-il saisi, qu'il se jette sur son ennemi, et lui tranche la tête d'un seul coup, aussi vite et aussi adroitement que pourrait le faire le plus habile bourreau de toute l'Allemagne.

Il me fit signe ensuite qu'il allait enterrer les cadavres, de peur qu'ils ne nous fassent découvrir; je le lui permis, et en un instant il eut creusé deux trous dans le sable, où il les plaça l'un et l'autre. Cette précaution prise, je l'emmenai avec moi non dans mon château, mais dans la grotte que j'avais plus avant dans l'île.

Arrivé dans ma grotte, je lui donnai du pain, une grappe de raisins secs, et de l'eau dont il avait surtout grand besoin, étant fort altéré par la fatigue d'une si longue et si rude course. Je lui fis signe d'aller dormir, en lui montrant un tas de paille de riz avec une couverture qui me servait de lit assez souvent à moi-même.

Après avoir plutôt sommeillé que dormi pendant une demi-heure, il se réveilla et sortit de la grotte pour me rejoindre, j'avais été traire mes chèvres, qui étaient dans l'enclos tout près de là: Il vient à moi en courant; il se jette à mes pieds avec toutes les marques d'une âme véritablement reconnaissante; il me renouvelle la cérémonie de me jurer fidélité en posant mon pied sur sa tête; en un mot, il fait tous les gestes imaginables pour m'exprimer son désir de s'assujettir à moi pour toujours. J'entendais la plupart de ses signes, et je fis de mon mieux pour lui faire connaître que j'étais content de lui. Je commençai tout de suite à lui parler, et il apprit à me parler à son tour; je lui enseignai d'abord qu'il s'appellerait *Vendredi,* nom que je lui donnai en mémoire du jour auquel il était tombé en mon pouvoir. Je lui appris encore à me nommer son *maître,* et à dire *oui* et *non.* Je lui donnai ensuite du lait dans un pot de terre :

j'en bus le premier et j'y trempai mon pain; m'ayant imité, il me fit signe qu'il le trouvait bon.

Je restai avec lui toute la nuit suivante dans la grotte; mais dès que le jour parut, je lui fis comprendre de me suivre, et que je lui donnerais des habits, car il était absolument nu. En passant par l'endroit où il avait enterré les deux sauvages, il me le montra, ainsi que les marques qu'il avait laissées pour le reconnaître, en me faisant signe qu'il fallait déterrer ces morts et les manger. Je me donnai là-dessus l'air d'un homme fort en colère; je lui exprimai l'horreur que j'avais d'une pareille pensée en faisant comme si j'allais vomir, et je lui ordonnai de s'écarter de ces cadavres, ce qu'il fit dans le moment avec beaucoup de soumission. Je le menai ensuite avec moi au haut de la colline, pour voir si les ennemis étaient partis, et en me servant de ma lunette je ne découvris que la place où ils avaient été, sans apercevoir ni eux ni leurs bâtiments, marque certaine qu'ils s'étaient rembarqués.

Je n'étais pas encore entièrement satisfait de cette découverte; et, me trouvant à présent plus de courage, et par conséquent plus de curiosité, je pris mon esclave avec moi, armé de mon épée, et l'arc avec les flèches sur le dos; je lui fis porter un de mes mousquets, j'en gardai deux moi-même, et de cette manière nous marchâmes vers le lieu du festin.

En y arrivant, mon sang s'y glaça par l'horreur du spectacle, qui ne fit pas le même effet sur Vendredi; la place était couverte d'ossements et de chairs à moitié mangées, en un mot de toutes les marques du repas de triomphe, par lequel les sauvages avaient célébré leur victoire sur leurs ennemis.

Je les fis ramasser en un monceau par mon esclave, et réduire en cendres au moyen d'un grand brasier dont il les entoura.

Le jour d'après je me mis à délibérer où je logerais mon

domestique d'une manière commode pour lui sans que j'eusse rien à craindre pour moi, s'il était assez ingrat pour attenter à ma vie. Je ne trouvai rien de plus convenable que de lui faire une hutte entre mes deux retranchements, et je pris toutes les précautions nécessaires pour l'empêcher de venir dans mon château malgré moi; de plus, je résolus d'emporter chaque nuit dans ma demeure tout ce que j'avais d'armes en ma possession.

Heureusement toutes ces précautions n'étaient pas fort nécessaires : jamais homme n'eut un serviteur plus fidèle, plus rempli de candeur et d'amour pour son maître; il s'attachait à moi avec une tendresse véritablement filiale; il était sans fantaisie, sans opiniâtreté, incapable d'emportement, et en toute occasion il aurait sacrifié sa vie pour assurer la mienne.

Trois ou quatre jours après que j'eus commencé à vivre avec Vendredi, je résolus de le détourner de son appétit cannibale en lui faisant goûter de mes viandes. Je le conduisis un matin dans le bois, où j'avais dessein de tuer un de mes chevreaux pour l'en régaler; en y entrant, je découvris une chèvre couchée à l'ombre, et accompagnée de deux de ses petits : j'arrêtai Vendredi en lui faisant signe de ne point remuer, et en même temps je fis feu sur un de mes chevreaux, et le tuai. Le pauvre sauvage, qui m'avait vu terrasser de loin un de ses ennemis, sans savoir comment j'y étais parvenu, effrayé de nouveau, tremblait comme la feuille.

Pour le désabuser, je le pris par la main en souriant; je le fis lever, et lui montrant du doigt le chevreau, je lui fis signe d'aller le chercher. Pendant qu'il était occupé à découvrir comment cet animal avait été tué, je rechargeai mon fusil. Au moment même j'entrevis sur un arbre un oiseau, que je pris d'abord pour un oiseau de proie, mais qui se trouva être un perroquet. J'appelle mon sauvage et lui montrant du doigt mon fusil, le perroquet et la terre, je lui fais entendre mon dessein d'abattre l'oiseau; effectivement je le jetai bas, et je vis mon sauvage épouvanté de nouveau, malgré tout ce que j'avais tâché de lui faire comprendre.

Quand je le vis un peu revenu de sa frayeur, je lui fis signe d'aller chercher l'oiseau, ce qu'il exécuta : mais voyant qu'il avait de la peine à le retrouver, parce que la bête, n'étant pas tout à fait morte, s'était traînée assez loin de là, je pris ce temps pour recharger mon fusil. Il revint bientôt après avec sa proie, et, ne trouvant plus l'occasion de l'étonner encore, je m'en retournai avec lui dans ma demeure.

Le même soir, j'écorchai le chevreau, je le dépeçai, et j'en mis quelques morceaux sur le feu dans un pot; j'en fis un bouillon, et je donnai une partie de cette viande ainsi préparée à Vendredi, qui, voyant que j'en mangeais, se mit à la goûter aussi. Il me fit signe qu'il y prenait plaisir.

Après l'avoir ainsi apprivoisé avec cette nourriture, je voulus, le jour d'après, le régaler d'un plat de rôti, ce que je fis en attachant un morceau de chevreau à une corde, et en le faisant tourner continuellement devant le feu, comme je l'avais vu pratiquer quelquefois en Angleterre. Dès que Vendredi en eut goûté, il fit tant de grimaces pour me dire qu'il le trouvait excellent et qu'il ne mangerait plus de chair humaine, qu'il y aurait eu bien de la stupidité à ne pas entendre.

J'avais à présent deux bouches à nourrir, et par conséquent besoin d'une plus grande quantité de grain que par le passé. Je choisis donc un champ plus étendu, et je me mis à l'enclore, comme j'avais fait pour mes autres terres; Vendredi m'aida, non seulement avec beaucoup d'adresse et de diligence, mais encore avec beaucoup de plaisir, sachant que c'était pour augmenter mes provisions, et pour être en état de les partager avec lui. Il parut fort sensible à mes soins, et il me fit entendre que sa reconnaissance l'animerait à travailler avec autant plus d'assiduité. C'est là l'année la plus agréable que j'aie passée dans l'île. Vendredi commençait à parler inlassablement : il savait déjà les noms de presque toutes les choses dont je pouvais avoir besoin et de tous les lieux où j'avais à l'envoyer, ce qui me rendit l'usage de ma langue, qui m'avait été si longtemps inutile, du moins par rapport au discours. Ce n'était pas seulement sa conversation qui me plaisait, j'étais charmé de plus en plus de sa fidélité, et je commençais à l'aimer avec la plus vive affection, voyant qu'il avait pour moi tout l'attachement possible.

Un jour je désirai savoir s'il regrettait beaucoup sa patrie; et comme il savait assez l'anglais pour répondre à la plupart de mes questions, je lui demandai si sa nation n'était jamais victorieuse dans les combats. Se mettant à sourire : « Oui, me dit-il, nous toujours combattre le meilleur, c'est-à-dire nous remportons toujours la victoire ». Là-dessus nous eûmes l'entretien suivant :

Robinson. Votre nation combat toujours le meilleur ? D'où vient donc que vous ayez été fait prisonnier ?

Vendredi. Ma nation combattre beaucoup.

Robinson. Mais comment donc avez-vous été pris ?

Vendredi. Eux beaucoup plus que ma nation où moi être. Eux prendre un, deux, trois et moi. Ma nation battre eux dans l'autre place où moi n'être pas; là ma nation prendre un, deux, grand, mille.

Robinson. Pourquoi donc vos gens ne vous ont-ils pas repris sur les ennemis ?

Vendredi. Eux porter un, deux, trois et moi dans le canot. Ma nation n'avoir point canot alors.

Robinson. Eh bien, Vendredi, dites-moi ce que fait votre nation de ses prisonniers : les emmène-t-elle pour les manger ?

Vendredi. Oui, ma nation aussi manger hommes, manger tout à fait.

Robinson. Où les mène-t-elle ?

Vendredi. Les mener partout où trouve bon.

Robinson. Les mène-t-elle quelquefois ici ?

Vendredi. Oui, ici, et beaucoup autres places.

Robinson. Avez-vous été ici avec vos gens ?

Vendredi. Oui, moi venir ici, dit-il en montrant du doigt le nord-ouest de l'île.

Ce discours me donna l'occasion de lui demander combien il y avait de l'île au continent, et si dans ce trajet les canots ne périssaient pas souvent. Il me répondit qu'il n'y avait point de danger; et qu'un peu avant dans la mer on trouvait tous les matins le même vent et le même courant directement opposés.

Je crus d'abord que ce n'était autre chose que le flux et le reflux; mais je compris dans la suite que ce phénomène était causé par la grande rivière Orénoque dans l'embouchure de laquelle mon île était située, et que la terre que je découvrais à l'ouest et au nord-ouest était la grande île de la Trinité, située au septentrion de la rivière. Je fis mille questions à Vendredi touchant le pays, les habitants, la mer, les côtes et les peuples qui en étaient voisins, et il me donna tous les renseignements qu'il put; mais j'avais beau lui demander les noms des différents peuples des environs, il ne me répondait rien, sinon *Carib*, d'où j'inférai que c'étaient les Caraïbes, que nos cartes placent sur la côte qui s'étend de la rivière Orénoque vers la Guyane et Sainte-Marthe.

Cet entretien me fit grand plaisir, et me donna l'espérance de me tirer quelque jour de l'île, et de trouver un puissant secours dans mon fidèle sauvage.

Tout ce qui portait mon sauvage au désir de me mener avec lui dans sa patrie, c'était son amour pour ses compatriotes, auxquels il croyait mes instructions bien utiles. Pour moi, mes vues étaient d'une autre nature; je ne songeais qu'à rejoindre les hommes, et, sans différer davantage, je me mis à choisir un arbre assez fort pour en faire un grand canot propre à notre voyage. Il y en avait assez dans l'île; mais je souhaitais d'en trouver un assez près de la mer pour pouvoir le lancer sans beaucoup de peine dès qu'il serait transformé en barque.

Mon sauvage en trouva bientôt un d'un bois qui m'était inconnu, mais qu'il connaissait propre à notre dessein. Il était d'avis de le creuser en brûlant le dedans; mais après que je lui eus enseigné l'usage des coins de fer, il s'y prit fort adroitement; et après un mois d'un rude travail il termina son ouvrage. La barque était fort proprement faite, surtout quand, par le moyen de nos haches, nous lui eûmes donné, en dehors la forme d'une véritable chaloupe; ensuite nous fûmes encore occupés une quinzaine de jours à la mettre à l'eau, où nous la fîmes entrer peu à peu par le moyen de quelques rouleaux.

Je mis près de deux mois à dresser mon mât et mes voiles, et à mettre la dernière main à tout ce qui était nécessaire à ma barque : j'y ajoutai un petit étai et une misaine, pour aider mon bâtiment, en cas qu'il fût trop emporté par la marée; et, qui plus est, j'attachai un gouvernail à la poupe, quoique je fusse un assez mauvais charpentier : comme je savais l'utilité et même la nécessité de cette pièce, je travaillai avec tant d'application que j'en vins à bout. Mais je suis persuadé que le gouvernail seul me coûta autant de peine que toute la barque.

Il s'agissait alors d'enseigner la manœuvre à mon sauvage, car, quoiqu'il sût parfaitement comment faire aller un canot à force de rames, il était fort ignorant dans le maniement d'une voile et d'un gouvernail. Il montrait un étonnement inexprimable quand il me voyait tourner et virer ma barque à ma fantaisie, quand il voyait les voiles changer de direction et s'enfler du côté où je voulais faire cours. Cependant un peu d'habitude lui rendit toutes ces choses familières, et en peu de temps il devint un très bon matelot.

J'étais alors entré dans la vingt-septième année de mon exil dans cette île, quoique je ne puisse guère appeler exil les trois dernières années, où j'ai joui de la compagnie de mon fidèle sauvage.

La saison des pluies survenue, je me vis obligé de garder la maison plus qu'en d'autres temps; j'avais déjà pris mes mesures pour mettre notre bâtiment en sûreté; je l'avais fait entrer dans la petite baie dont j'ai parlé plusieurs fois; je l'avais tiré sur le rivage pendant la haute marée, et Vendredi lui avait creusé un petit chantier justement assez profond pour pouvoir lui donner autant d'eau qu'il fallait pour le mettre à flot, et pendant la basse marée nous avions pris toutes les précautions nécessaires pour empêcher l'eau de mer d'entrer malgré nous dans ce chantier. Afin de le mettre à l'abri de la pluie, nous le couvrîmes d'un si grand nombre de branches d'arbres, qu'un toit de chaume n'est pas plus impénétrable. De cette manière nous attendîmes les mois de novembre et de décembre, dans l'un desquels j'étais déterminé à hasarder le passage.

Mon désir d'exécuter cette entreprise s'affermit avec le retour de la belle saison, et j'étais continuellement occupé à tout préparer, principalement à rassembler les provisions nécessaires pour notre voyage, ayant dessein de mettre en mer dans une quinzaine de jours. Un matin, pendant que je travaillais à ces préparatifs, j'ordonnai à Vendredi d'aller sur le bord de la mer pour chercher quelque tortue, dont la prise nous était fort agréable, tant à cause des œufs que de la chair même. Il n'y avait qu'un moment qu'il était sorti quand je le vis revenir à toutes jambes, et voler pardessus mon retranchement extérieur, comme si ses pieds ne touchaient pas à terre. Sans me donner le temps de lui faire des questions, il se met à crier : « O maître ! ô douleur ! ô mauvais ! – Qu'y a-t-il, Vendredi ? lui dis-je. –

Oh ! répondit-il, là-bas, un, deux, trois canots, un, deux, trois ». Je conclus de sa manière de s'exprimer qu'il devait y avoir six canots; mais je trouvai dans la suite qu'il n'y en avait que trois.

Là-dessus je lui fis boire un coup de rhum pour lui fortifier le cœur. Je lui fis prendre mes deux fusils de chasse, que je chargeai de la plus grosse dragée; je pris quatre mousquets, dans chacun desquels je mis deux clous et cinq petites balles; je chargeai mes pistolets à proportion; je mis à mon côté mon grand sabre nu; et j'ordonnai à Vendredi de prendre ma hache.

M'étant préparé de cette manière, je pris une de mes lunettes, et je montai au haut de la colline pour découvrir ce qui se passait sur le rivage; j'aperçus bientôt que nos ennemis y étaient au nombre de vingt et un avec trois prisonniers.

J'observai encore qu'ils étaient débarqués non dans l'endroit où Vendredi leur avait échappé, mais plus près de ma petite baie, sur un rivage très bas, où un bois épais s'étendait presque jusqu'à la mer. Cette découverte m'anima d'un nouveau courage, et, retournant vers Vendredi, je lui dis que j'étais déterminé à les tuer tous s'il voulait m'assister avec vigueur. Sa peur était alors passée, et le rhum ayant mis son sang en mouvement, il parut plein de feu, et répéta avec un air ferme : « Moi mourir quand vous ordonne mourir ».

Le seul ordre qu'il eût à suivre était de marcher sur mes pas, de ne faire aucun mouvement, de ne pas dire un mot sans mon commandement. Je cherchai à main droite un détour pour passer de l'autre côté de la baie, et pour gagner le bois, afin d'avoir les cannibales à portée de fusil avant qu'ils m'eussent découvert. Je vins aisément à bout de trouver une telle route par le moyen de ma lunette d'approche.

J'entrai par le bois avec toute la précaution et le silence

possibles, ayant Vendredi sur mes traces, et je m'avançai jusqu'à ce qu'il n'y eût qu'une petite pointe de bois entre nous et les sauvages. Apercevant alors un arbre élevé, j'appelle Vendredi tout doucement, et lui ordonne de percer jusque-là pour découvrir ce que les sauvages faisaient. Il obéit, et vint bientôt me rapporter qu'on les voyait distinctement de cette place, qu'ils étaient tous autour de leur feu, se régalant de la chair de l'un de leurs prisonniers, et qu'à quelques pas de là il y en avait un autre garotté et étendu sur le sable, qui aurait bientôt le même sort; que ce dernier n'était pas de leur nation, mais un des hommes barbus qui étaient arrivés dans son pays avec une chaloupe. Ce rapport et surtout la particularité du prisonnier barbu ranimèrent ma fureur : je m'avançai vers l'arbre, et je vis clairement un homme blanc, couché sur le sable, les mains et les pieds garottés; les habits dont je le vis couvert ne me laissèrent pas de doute que ce ne fût un Européen.

Je vis qu'il n'y avait pas un instant à perdre : dix-neuf de ces barbares étaient assis à terre, serrés les uns contre les autres, ayant détaché deux d'entre eux pour leur apporter apparemment le pauvre chrétien membre à membre. Ils étaient déjà occupés à lui délier les pieds, quand me tournant vers Vendredi : « Allons, lui dis-je, suis mes ordres exactement; fais précisément ce que tu me verras faire, sans manquer dans le moindre point ». Il me le promit. Posant à terre un de mes mousquets et un de mes fusils de chasse, je le vis m'imiter parfaitement. Avec mon autre mousquet je couchai les sauvages en joue, lui ordonnant d'en faire autant : « Es-tu prêt ? lui-dis-je. — Oui », répondit-il : et en même temps nous fîmes feu l'un et l'autre.

Vendredi m'avait tellement surpassé à viser juste, qu'il en tua deux et en blessa trois, tandis que je n'en blessai que deux et n'en tuai qu'un seul. On peut juger si les autres étaient dans une horrible consternation; tous ceux qui n'avaient pas été blessés se levèrent précipitamment, sans savoir de quel côté tourner leurs pas pour éviter un danger dont la source leur était inconnue. Vendredi cependant avait toujours les yeux fixés sur moi, pour observer et imiter mes mouvements. Après avoir vu l'effet de notre première décharge, je jetai mon mousquet pour prendre le fusil de chasse, et Vendredi en fit de même. Il coucha en joue comme moi. « Es-tu prêt ? » lui demandai-je encore; et dès qu'il m'eut répondu oui, « Feu donc ! » lui dis-je; et en même temps nous tirâmes parmi la troupe effrayée. Comme nos armes étaient chargées d'une dragée grosse comme de petites balles de pistolet, il n'en tomba que deux; mais il y avait tant de blessés, que nous les vîmes courir la plupart çà et là couverts de sang, et qu'un moment après il en tomba encore trois à demi-morts.

Ayant jeté alors à terre nos armes déchargées, je saisis mon second mousquet; j'ordonnai à Vendredi de me suivre; ce qu'il fit avec beaucoup d'intrépidité. Nous sortîmes brusquement, et dès que nous fûmes à découvert, nous poussâmes un grand cri; ensuite je me mis à courir de toutes mes forces, autant que me le permettait le poids de mes armes, vers la pauvre victime, qui était étendue sur le sable, entre le lieu du festin et la mer. Les bouchers, qui allaient exercer leur art sur ce malheureux, l'avaient abandonné au bruit de notre première décharge, et, prenant la fuite avec une terrible frayeur du côté de la mer, s'étaient jetés dans un des canots où ils furent suivis par trois autres. Je criai à Vendredi de courir de ce côté-là, et de tirer dessus. Il m'entendit, et, s'étant avancé sur eux d'une quarantaine de verges, il fit feu. Je m'imaginai au commencement qu'il les avait tous tués, les voyant tomber les uns sur les autres; mais j'en revis bientôt trois sur pied.

Pendant que mon sauvage s'attachait ainsi à la destruction de ses ennemis, je tirai mon couteau pour couper les

liens du prisonnier, et, ayant mis en liberté ses pieds et ses mains, je le plaçai sur son séant, et je lui demandai en portugais qui il était; il me répondit en latin : *Christianus.* Le voyant si faible qu'il avait de la peine à se tenir debout et de parler, je lui donnai ma bouteille, et lui fis signe de boire. Il le fit, et mangea en outre un morceau de pain que je lui avais donné pareillement. Après avoir un peu repris ses esprits, il me fit entendre qu'il était espagnol, et qu'il m'avait toutes les obligations imaginables pour l'important service que je venais de lui rendre : me servant de tout l'espagnol que je pouvais rassembler, je lui dis : « Nous parlerons une autre fois, mais à présent il faut combattre; s'il vous reste quelque force, prenez ce pistolet et cette épée, et faites-en un bon usage ». Il les prit d'un air reconnaissant; et il semblait que ces armes lui rendissent toute sa vigueur. Il tomba dans le moment sur ses ennemis comme un furieux, et en un tour de main il en dépêcha deux à coups de sabre. Il est vrai qu'ils ne se défendaient guère. Ces barbares étaient si effrayés du bruit de nos fusils, qu'ils se trouvaient aussi peu en état de songer à leur conservation que leur chair avait été peu capable de résister à nos balles. Je m'en étais bien aperçu lorsque Vendredi avait fait feu sur ceux qui étaient dans la barque; car les uns avaient été terrassés par la peur, tout aussi bien que les autres par les blessures.

Je tenais toujours mon dernier fusil à la main, sans le tirer, pour n'être pas pris au dépourvu. C'est tout ce que j'avais pour me défendre, ayant donné mon pistolet et mon sabre à l'Espagnol. J'ordonnai cependant à Vendredi de retourner à l'arbre où nous avions commencé le combat, et d'y chercher nos armes déchargées, ce qu'il fit avec une grande rapidité. Pendant que je m'étais mis à les charger à nouveau, je vis un combat très acharné entre l'Espagnol et un des sauvages, qui l'avait attaqué avec un des sabres de bois destinés à le priver de la vie si je ne l'avais empêché. L'Espagnol, qui, bien que faible, était aussi brave et aussi hardi qu'il est possible de l'être avait déjà combattu pendant quelque temps, et lui avait fait deux blessures à la tête, quand l'autre, l'ayant saisi par le milieu du corps, le jette à terre et fait tous ses efforts pour lui arracher son épée. L'Espagnol ne perdit pas son sang-froid dans cette occasion; quitta sagement le sabre, mit la main à son pistolet, et tua son ennemi sur le champ. Vendredi, qui n'était plus à portée de recevoir mes ordres, se voyant en pleine liberté poursuivit les autres sauvages avec sa hache, et acheva d'abord trois de ceux qui avaient été jetés à terre par nos décharges, et ensuite tous ceux qu'il put atteindre. De l'autre côté, l'Espagnol, ayant pris un de mes fusils, se mit à la poursuite de deux autres, qu'il blessa tous deux; mais comme il n'avait pas la force de courir, ils se sauvèrent dans le bois, où Vendredi en tua encore un; pour le second, qui était d'une agilité extrême, il lui échappa, s'étant jeté à corps perdu dans la mer, et ayant gagné à la nage le canot, où il y avait trois de ses camarades : ces quatre furent les seuls qui se sauvèrent de nos mains.

Ils faisaient force de rames pour se mettre hors de la portée de nos fusils; et quoique mon esclave leur tirât encore deux ou trois coups, je n'en vis pas un montrer qu'il en fût atteint. Il souhaitait fort que nous prissions un des canots pour leur donner la chasse, et ce n'était pas sans raison; car il était fort à craindre, s'ils s'échappaient, qu'ils ne fissent le récit de leur triste aventure à leurs compatriotes, et qu'ils ne revinssent avec quelques centaines de barques pour nous accabler de leur nombre : j'y consentis donc. Je me jetai dans un de leurs canots en commandant à Vendredi de me suivre; mais je fus bien surpris en y voyant un troisième prisonnier garrotté de la manière que l'avait été l'Espagnol, et presque mort de peur, n'ayant pas su ce dont il s'agissait; car il était tellement lié, qu'il était hors d'état de lever la tête, et qu'il lui restait à peine un souffle de vie.

Je me mis d'abord à couper les cordes qui l'incommodaient si fort, et je m'efforçai de le soulever; mais il n'avait pas la force de se soutenir ni de parler. Il jeta seulement des cris sourds et lamentables, craignant sans doute qu'on ne le déliât que pour lui ôter la vie.

Dès que Vendredi fut entré dans la barque, je lui dis de l'assurer de sa délivrance et de lui donner un coup de rhum; ce qui, joint à la bonne nouvelle à laquelle il ne s'attendait pas, le fit revivre, et lui donna assez de force pour se mettre sur son séant.

Quelques instants après que Vendredi l'eut regardé et l'eut entendu parler, c'était un spectacle à tirer les larmes des yeux de l'homme le plus insensible, de le voir embrasser ce sauvage, pleurer, rire, sauter, danser à l'entour, ensuite se tordre les mains, se battre le visage, et puis sauter, danser de nouveau, enfin se comporter comme s'il eût été hors de sens. Pendant quelques moments il n'eut pas la force de m'expliquer la cause de tant de mouvements opposés; mais étant un peu revenu à lui, il me dit enfin que ce sauvage était son père.

Cet accident nous fit oublier de poursuivre le canot des sauvages, qui était hors de notre vue : ce fut un bonheur pour nous tous, car deux heures après, lorsqu'ils ne pouvaient encore avoir fait le quart du chemin, il s'éleva un vent terrible qui continua pendant toute la nuit; et comme il venait du nord-ouest et qu'il leur était contraire, il ne me parut guère possible alors qu'ils pussent regagner leurs côtes.

Pour revenir à Vendredi, il était tellement occupé autour de son père, que pendant assez longtemps je n'eus pas le cœur de le retirer de là, mais quand je crus qu'il avait suffisamment satisfait à ses transports je l'appelai : il vint en sautant, en riant et en marquant la joie la plus vive. Je lui demandai s'il avait donné du pain à son père : « Non, dit-il; moi, vilain chien, manger tout moi-même ». Là-dessus je lui donnai un gâteau d'orge que j'avais dans ma poche; j'y ajoutai un coup de rhum pour lui-même. Il n'y goûta pas, et alla porter le tout à son père avec une poignée de raisins secs, que je lui avais donnée.

Quand il eut bu, et que je vis qu'il avait encore de l'eau de reste, j'ordonnai à Vendredi de la porter à l'Espagnol avec un des gâteaux qu'il était allé me chercher. Celui-ci, extrêmement faible s'était couché sur l'herbe, à l'ombre d'un arbre : il se leva néanmoins pour manger et pour boire, et je m'approchai moi-même pour lui donner une poignée de raisins. Il me regarda d'un air tendre et plein de vive reconnaissance; il avait si peu de force, quoiqu'il eût marqué tant de vigueur dans le combat, qu'il ne pouvait se tenir sur ses jambes; il l'essaya deux ou trois fois, mais en vain; ses pieds, enflés prodigieusement à force d'avoir été garrottés, lui causaient trop de douleur. Pour le soulager, j'ordonnai à Vendredi de les lui frotter avec du rhum, comme il avait fait à l'égard de son père.

Voilà mon île peuplée : je me voyais riche en sujets, et c'était une idée fort satisfaisante pour moi de me considérer comme un petit monarque. Toute cette île était mon domaine par des titres incontestables.

Dès que j'eus logé mes deux nouveaux compagnons, je songeai à rétablir leurs forces par un bon repas; je commandai à Vendredi d'aller prendre parmi mon troupeau un chevreau d'un an; je le mis en pièces, je le fis étuver et je leur accommodai un fort bon plat, où j'avais mis de l'orge et du riz.

Après avoir dîné, ou, pour mieux dire, soupé, j'ordonne à Vendredi de prendre un des canots et d'aller chercher nos armes à feu que nous avions laissées sur le champ de bataille. Le jour suivant je lui dis d'enterrer les morts, qui, étant exposés au soleil, nous auraient bientôt incommodés par leur mauvaise odeur, et d'ensevelir en même temps les restes affreux du festin, qui étaient répandus en quantité sur le rivage.

Je crus qu'il était temps alors d'entrer en conversation avec mes nouveaux sujets. Je commençai par le père de Vendredi à qui je demandai ce qu'il pensait des sauvages qui s'étaient échappés et si nous devions craindre leur retour dans l'île avec des forces capables de nous accabler. Son sentiment fut qu'il n'y avait aucune apparence qu'ils eussent pu résister à la tempête et qu'ils devaient avoir tous péri, à moins d'avoir été portés du côté du sud sur certaines côtes, où ils seraient dévorés indubitablement. A l'égard de ce qui pourrait arriver en cas qu'ils eussent été assez heureux pour regagner leur rivage, il me dit qu'il les croyait si fort effrayés par la manière dont ils avaient été attaqués, si étourdis par le bruit et par le feu de nos armes, qu'ils ne manqueraient pas de raconter à leur nation que leurs compagnons avaient été tués par la foudre et par le tonnerre et que les deux ennemis qui leur étaient apparus étaient sans doute des esprits descendus d'en haut pour les détruire. Il était confirmé dans cette opinion par ce qu'il avait entendu dire aux fuyards, qu'ils ne pouvaient comprendre que des hommes pussent *souffler foudre, parler tonnerre,* et tuer à une grande distance sans lever seulement la main; néanmoins je fus pendant quelque temps dans des appréhensions continuelles, qui m'obligèrent à être sur mes gardes et à tenir toutes mes troupes sous les armes. Nous étions quatre alors et je n'aurais pas craint d'affronter une centaine de nos ennemis en rase campagne.

Cependant ne voyant pas arriver un seul canot sur mon rivage, pendant un assez long temps, mes frayeurs s'apaisèrent et je commençai à délibérer sur mon retour vers le continent, où le père de Vendredi m'assurait que je serais bien reçu par sa nation pour l'amour de lui.

L'exécution de mon dessein fut un peu suspendue par

un entretien fort sérieux que j'eus avec l'Espagnol. Il m'apprit qu'il avait laissé sur le continent seize autres chrétiens, tant Espagnols que Portugais, qui, ayant fait naufrage et s'étant sauvés sur ces côtes, y vivaient, à la vérité, en paix avec les sauvages, mais avaient à peine de subsistance pour ne pas mourir de faim. Je lui demandai toutes les particularités de leur voyage et je découvris qu'ils avaient monté un vaisseau espagnol venant de Rio de la Plata, pour porter des peaux à La Havane et pour y charger toutes les marchandises européennes qu'ils y pourraient trouver; qu'ils avaient sauvé d'un autre vaisseau cinq matelots portugais, mais qu'ils en avaient perdu un pareil nombre des leurs et que les autres, à travers une infinité de dangers, étaient longtemps restés à demi-morts de faim sur le rivage des cannibales, saisis de la crainte d'être dévorés aussitôt qu'on les aurait aperçus.

Il y avait déjà un mois qu'il était avec nous et je lui avais montré toutes mes provisions assemblées avec le secours de la Providence. Il comprenait parfaitement bien que ce que j'avais amassé de blé et de riz, quoique suffisant du reste pour moi-même, ne suffirait pas pour ma nouvelle famille, à moins d'une économie exacte, bien loin de pouvoir fournir aux besoins de ses camarades, qui étaient au nombre de seize. D'ailleurs, il en fallait une bonne quantité pour ravitailler le vaisseau que je voulais construire, afin de me rendre dans quelque colonie chrétienne; son avis fut donc de défricher d'autres champs, d'y semer tout le grain dont je pouvais me passer et d'attendre une nouvelle moisson avant de faire venir ses compatriotes. « La disette, me dit-il, pourrait les porter à la révolte, en leur faisant voir qu'ils ne se seraient sortis d'un malheur que pour retomber dans un autre ».

Son conseil me parut si raisonnable et j'y trouvai tant de preuves de sa fidélité, que je fus charmé et je me déterminai à le suivre.

Etant alors assez forts pour ne rien craindre des sauvages, à moins qu'ils ne vinssent en très grand nombre, nous nous promenions par toute l'île sans aucune inquiétude; et comme nous avions tous l'esprit plein de notre délivrance, il m'était impossible de ne pas songer aux moyens de l'effectuer. Entre autres, je marquai plusieurs arbres qui me paraissaient propres à mes vues; j'employai Vendredi et son père à les couper, et je leur donnai l'Espagnol pour inspecteur. Je leur montrai avec quel travail infatigable j'avais fait des planches d'un arbre fort épais et je leur recommandai d'agir de même. Ils me firent une douzaine de bonnes planches de chêne d'à peu près deux pieds de large, de trente-cinq de long et épaisses de deux pouces jusqu'à quatre. On peut comprendre quelle peine il fallut pour en venir à bout.

C'était alors le temps de la moisson et notre grain se trouvait en fort bon état, quoique j'aie vu des années plus fertiles dans l'île. La récolte fut pourtant assez bonne pour répondre à nos désirs : de vingt-deux boisseaux d'orge que nous avions semés il nous en vint deux cent vingt et notre riz s'était multiplié à proportion; ce qui était suffisant pour nous et pour les hôtes que nous attendions, jusqu'à notre moisson prochaine; ou bien, s'il s'agissait de faire le voyage projeté, il y en avait assez pour ravitailler abondamment notre vaisseau, de quelque côté de l'Amérique que nous voulussions diriger notre course.

Après avoir recueilli ainsi nos grains, nous nous mîmes à travailler de l'osier et à faire quatre grands paniers pour les y conserver. L'Espagnol était extrêmement habile à ces sortes d'ouvrages et il me blâmait souvent de n'avoir pas employé cet art à faire mes enclos et mes retranchements; mais par bonheur la chose n'était plus nécessaire alors.

Tous ces préparatifs achevés je permis à mon Espagnol de passer en terre ferme, pour aller retrouver ses compatriotes; et je lui donnai un ordre par écrit de ne pas emmener un seul homme sans l'avoir fait jurer devant lui et le vieux sauvage, que bien loin d'attaquer le maître de l'île, et de causer le moindre chagrin à un homme qui avait la bonté de travailler à leur délivrance, il ne négligerait rien pour le défendre contre toutes sortes d'attentats et qu'il se soumettrait entièrement à ses commandements, de quelque côté qu'il trouvât bon de le mener. J'ordonnai encore à l'Espagnol de me rapporter un traité formel par écrit, signé de toute la troupe, sans songer que, selon toutes les apparences, elle n'avait ni papier ni encre.

Muni de ces instructions il partit avec le père de Vendredi, dans le même canot qui avait servi à les amener sur le rivage où ils devaient être dévorés par les cannibales leurs ennemis. Je leur donnai à chacun un mousquet et environ huit charges de poudre et de balles, en leur enjoignant d'en être très économes, et de ne les employer que dans les occasions pressantes.

J'avais déjà attendu pendant huit jours le retour de mes députés, quand un matin, lorsque j'étais encore profondément endormi, Vendredi approcha de mon lit avec précipitation, en criant : « Maître, ils sont venus, ils sont venus ».

Je me lève et, m'étant habillé, je me mets à traverser mon bois, songeant si peu au moindre danger, que j'étais sans armes, contre ma coutume. Je fus bien surpris, en tournant mes yeux vers la mer, de voir à une lieue et demie de distance une chaloupe avec une voile triangulaire, faisant cours vers mon île et poussée par un vent favorable. Je vis d'abord qu'elle ne venait pas du côté opposé à mon rivage, mais du côté du sud. Je dis à Vendredi de ne pas se donner le moindre mouvement, puisque ce n'étaient pas là ceux que nous attendions et que nous ne pouvions savoir encore s'ils étaient amis ou ennemis.

A peine avais-je mis le pied sur le haut de la colline, que je vis clairement un vaisseau à l'ancre, à peu près à deux lieues et demie au sud-ouest de mon habitation; et je crus remarquer, par la structure de ce bâtiment, qu'il était anglais aussi bien que la chaloupe.

Je ne saurais exprimer les impressions confuses que cette vue fit sur mon imagination. Quoique ma joie de voir un navire, dont l'équipage devait être sans doute de ma nation, fût extrême, je ne laissai pas de sentir quelques mouvements secrets, dont j'ignorais la cause et qui m'inspiraient de la circonspection.

Lorsqu'ils furent sur le rivage, je vis clairement qu'ils étaient anglais, hormis un ou deux, que je pris pour des Hollandais, mais qui pourtant ne l'étaient pas. Ils étaient onze en tout. Mais il y en avait trois sans armes et garrottés, comme je crus m'en apercevoir. Dès que cinq ou six d'entre eux eurent sauté sur le rivage, ils firent sortir les autres de la chaloupe, comme des prisonniers; je vis un des trois marquer sa souffrance par des gestes d'affliction qui allaient jusqu'à l'extravagance; les deux autres levaient quelquefois les mains vers le ciel et paraissaient fort affligés, mais leur douleur me semblait plus modérée.

J'étais dans une grande incertitude, sans concevoir ce que signifiait un pareil spectacle; Vendredi s'écria : « O maître, vous voyez homme anglais manger prisonnier aussi bien qu'hommes sauvages : voyez eux les vouloir manger. – Non, non, dis-je, Vendredi; je crains seulement qu'ils ne les massacrent, mais sois sûr qu'ils ne les mangeront pas ». Je tremblais cependant, et j'étais pénétré d'horreur à cette vue; à chaque moment je m'attendais à les voir assassiner; je vis même une fois un de ces scélérats lever un grand sabre pour frapper un de ces malheureux et je crus que je l'allais voir tomber à terre, ce qui glaça tout mon sang dans mes veines.

Pendant que ces insolents matelots rôdaient par toute l'île, comme s'ils voulaient aller à la découverte du pays, j'observai que les trois prisonniers étaient en liberté d'aller où ils voulaient; mais ils n'en eurent pas le courage : ils s'assirent à terre d'un air pensif et désespéré.

La marée était justement au plus haut quand ces gens étaient venus à terre; partie en parlant à leurs prisonniers, partie en rôdant par les coins de l'île, ils s'étaient amusés jusqu'à ce que la mer, s'étant retirée par le reflux, eût laissé leur chaloupe à sec.

Il y restait deux hommes qui, à force de boire de l'eau-de-vie, s'étaient endormis; cependant l'un s'éveillant plus tôt que son camarade et trouvant la chaloupe trop enfoncée dans le sable pour l'en tirer tout seul, fit approcher les autres par des cris; mais ils n'eurent pas assez de force tous ensemble pour la tirer de là, parce qu'elle était extrêmement pesante, et que de ce côté le rivage n'était guère qu'un sable mouvant.

Mon dessein était de ne rien entreprendre avant la nuit; mais sur les deux heures, au plus chaud du jour, je trouvai qu'ils étaient allés tous dans les bois, apparemment pour s'y reposer; et, quoique les prisonniers ne fussent pas en état de dormir, je les vis couchés à l'ombre d'un grand arbre assez près de moi, et hors de la vue des autres.

Là-dessus je résolus de me découvrir à eux pour être instruit de leur situation; et dans le moment que je me mis en marche, Vendredi me suivant d'assez loin, armé d'une manière aussi formidable que moi, mais ne ressemblant pas autant à un spectre.

Après que je me fus approché des prisonniers, sans être découvert, autant qu'il me fut possible, je leur dis en espagnol d'un ton élevé : « Qui êtes-vous, Messieurs ! ». Ils ne répondirent rien, et je les vis sur le point de s'enfuir quand je me mis à leur parler anglais. « Messieurs, leur dis-je, n'ayez pas peur : peut-être avez-vous trouvé ici un ami sans vous y attendre. — Il serait donc un être envoyé du ciel, répondit un d'entre eux d'une manière grave et le chapeau à la main; car nos malheurs sont au-dessus de tout secours humain. — Tout secours est du ciel, monsieur, lui dis-je; mais ne voudriez-vous pas enseigner à un étranger le moyen de vous secourir ? Car vous paraissez accablé d'une grande affliction; je vous ai vus débarquer, et quand vous vous êtes entretenus avec les scélérats qui vous ont conduits ici, j'en ai vu un tirer le sabre comme s'il eût voulu vous tuer ».

Après que nous nous fûmes mis à couvert dans le bois : « Monsieur, lui dis-je, je veux hasarder tout pour votre délivrance, pourvu que vous m'accordiez deux conditions ». Il m'interrompit pour m'assurer que si je lui rendais la liberté et son vaisseau il emploierait l'un et l'autre à me témoigner sa reconnaissance, et que si je ne pouvais lui rendre que la moitié de ce service, il était résolu de vivre ou de mourir avec moi dans quelque partie du monde que je voulusse le conduire. Ses deux compagnons me donnèrent les mêmes assurances.

« Ecoutez mes conditions, leur dis-je : il n'y en a que deux : 1) Pendant que vous serez dans cette île avec moi, vous renoncerez à toute sorte d'autorité, et si je vous mets les armes en main, vous me les rendrez dès que je le trouverais bon; vous serez entièrement soumis à mes ordres, sans songer jamais à me causer le moindre préjudice; 2) si nous réussissons à reprendre le vaisseau vous me mènerez en Angleterre avec mon esclave, sans rien demander pour le passage ».

Il me le promit avec les expressions les plus fortes qu'un cœur reconnaissant puisse dicter.

Je leur donnai alors trois mousquets avec des balles et de la poudre; et je demandai au capitaine de quelle manière il jugeait à propos de diriger cette entreprise. Il me témoigna toute la gratitude imaginable, et me dit qu'il se contenterait de suivre exactement mes ordres, et qu'il me laissait avec plaisir toute la conduite de l'affaire. Je lui répondis qu'elle me paraissait assez épineuse; que cependant le meilleur parti était, selon moi, de faire feu sur eux tous en même temps, pendant qu'ils étaient couchés et que si quelqu'un, échappant à notre première décharge, voulait se rendre, nous pourrions lui sauver la vie.

Au milieu de cet entretien, nous vîmes deux des mutins se lever et se retirer; je demandai au capitaine si c'étaient les chefs de la rébellion. Il me dit que non. « Eh bien donc lui dis-je, laissons-les échapper, puisque la Providence semble les avoir éveillés pour leur sauver la vie; quant aux autres, s'ils ne sont pas à vous, c'est votre faute ».

Animé par ces paroles, il s'avance, un mousquet au bras, et un pistolet à la ceinture, précédé de ses deux compagnons; le bruit de leur approche éveille un des mutins, qui se met à crier pour éveiller ses camarades, mais en même temps le contremaître et le passager font feu tous deux; le capitaine gardant son coup avec beaucoup de prudence et visant avec toute la justesse possible les chefs des mutins, en tue un sur place. L'autre, dangereusement blessé, crie au secours; le capitaine le joint, lui dit qu'il n'est plus temps de demander du secours, qu'il n'a plus qu'à prier Dieu de lui pardonner sa trahison, et l'assomme aussitôt d'un coup de crosse de fusil.

Il en restait encore trois, dont l'un était légèrement blessé; mais me voyant arriver, et sentant qu'il leur était impossible de résister, ils demandèrent quartier. Le capitaine y consentit, à condition qu'ils lui prouveraient l'horreur qu'ils devaient avoir de leur crime, en l'aidant fidèlement à recouvrer son vaisseau et à le ramener à la Jamaïque, d'où il venait. Ils lui donnèrent toutes les assurances de repentir et de bonne volonté qu'il pouvait désirer, et il résolut de leur sauver la vie.

Voyant alors tous nos ennemis hors de combat, j'eus le temps de faire au capitaine le récit de mes aventures; il m'écouta avec une attention qui allait jusqu'à l'extase, et surtout la manière miraculeuse dont je m'étais pourvu de munitions et de vivres.

Notre conversation finie, je le conduisis avec ses compagnons dans mon château; je leur donnai tous les rafraîchissements que j'étais en état de leur fournir, et leur montrai toutes mes inventions depuis mon arrivée dans l'île.

Pour le présent il fallait songer aux moyens de nous rendre maîtres du vaisseau. Il en convint; mais il m'avoua qu'il ne voyait pas quelles mesures il y avait à prendre. « Il y a encore, dit-il, vingt-six hommes à bord, sachant que par leur conspiration ils ont mérité de perdre la vie; ils s'y opiniâtreront, par désespoir, car ils sont tous persuadés sans doute que s'ils se rendent ils seront pendus dès qu'ils arriveront en Angleterre ou dans quelque colonie de la nation; on ne peut donc songer à les attaquer avec un nombre si fort inférieur au leur ! ».

Je ne trouvai ce raisonnement que trop juste et je vis qu'il n'y avait rien à faire, sinon de tendre quelque piège à l'équipage et de l'empêcher au moins de débarquer et de nous détruire.

Je dis au capitaine que la première chose que nous avions à faire c'était de couler la chaloupe à fond, afin qu'ils ne pussent l'emmener; ce qu'il approuva. Nous mîmes aussitôt la main à l'œuvre, en commençant par ôter tout ce qui y était, c'est-à-dire une bouteille d'eau-de-vie et une autre pleine de rhum, quelques biscuits, un cornet rempli de poudre et un pain de sucre d'environ dix livres, enveloppé d'une pièce de canevas. L'eau-de-vie et le sucre me furent très agréables, car j'avais presque eu le temps d'en oublier le goût.

Après avoir porté ces objets à terre, nous fîmes un grand trou au fond de la chaloupe. A dire la vérité, je ne pensais guère sérieusement à recouvrer le vaisseau : ma seule vue était, en cas qu'ils partissent en nous laissant la chaloupe, de la réparer et de la mettre en état de nous mener vers mes amis les Espagnols, dont je n'avais pas perdu l'idée.

Non contents d'avoir fait à la chaloupe un trou assez grand pour qu'il ne fût pas possible de le boucher en peu de temps, nous mîmes toutes nos forces à la pousser assez avant sur le rivage, afin que la marée même ne pût la mettre à flot. Au milieu de cette occupation pénible, nous entendîmes un coup de canon et nous vîmes en même temps sur le vaisseau le signal ordinaire pour faire venir la chaloupe à bord; mais ils avaient beau multiplier les signaux et redoubler leurs coups de canon, la chaloupe n'avait garde d'obéir.

Dans le même instant nous les vîmes, par le moyen de nos lunettes, mettre leur autre chaloupe en mer, et se diriger vers le rivage à force rames; quand ils furent à la portée de notre vue, nous aperçûmes distinctement qu'ils étaient au nombre de dix et qu'ils avaient des armes à feu. Nous pûmes distinguer jusqu'aux traits de leurs visages pendant assez longtemps, parce qu'ayant dérivé par la marée, ils furent obligés de suivre le rivage pour débarquer dans le même endroit où avait abordé la première chaloupe.

De cette manière le capitaine pouvait les examiner à loisir; il n'y manqua pas et il me dit qu'il voyait parmi eux trois fort braves garçons et qu'il était sûr que les autres les avaient entraînés par force dans la conspiration; mais que pour le bosseman, qui commandait la chaloupe et pour les autres, c'étaient les plus grands scélérats de tout l'équipage, qui n'auraient garde de se désister de leur entreprise et qu'il craignait bien qu'ils ne fussent trop forts pour nous.

Je lui répondis, en souriant, que dans notre situation nous devions être au-dessus de la peur; que voyant presque toutes les conditions meilleures que la nôtre, il fallait considérer la mort même comme une espèce de délivrance; et qu'une vie comme la mienne, qui avait été sujette à tant de revers, méritait bien que je hasardasse quelque chose pour la rendre heureuse.

A la première apparition de la chaloupe qui venait à nous, nous avions déjà songé à séparer nos prisonniers et à les mettre en lieu sûr.

Il y en avait deux dont le capitaine était moins assuré que des autres; je les avais fait conduire par Vendredi et par un compagnon du capitaine, dans ma grotte, d'où ils n'avaient garde de se faire voir ou de se faire entendre ni de trouver le chemin au travers des bois, quand même ils parviendraient à se débarrasser de leurs liens.

Dès qu'ils furent débarqués, ils poussèrent leur chaloupe sur le sable et, la quittant tous en même temps, ils la tirèrent après eux sur le rivage, ce qui me fit plaisir, car je craignais qu'ils ne la laissassent à l'ancre, à quelque distance, avec quelques-uns d'entre eux pour la garder et qu'ainsi il nous fût impossible de nous en saisir.

La première chose qu'ils firent fut de courir vers la chaloupe échouée et nous nous aperçûmes aisément de leur surprise en la voyant percée par le fond et dépouillée de ses agrès. Un moment après ils poussèrent tous en même temps deux ou trois grands cris pour se faire entendre de leurs compagnons; mais voyant que c'était peine perdue, ils se mirent en cercle et firent une décharge générale de leurs armes dont le bruit fit retentir tout le bois; nous étions bien sûrs pourtant que les prisonniers de la grotte ne l'entendaient pas et que ceux que nous gardions nous-mêmes n'avaient pas le courage d'y répondre.

Les rebelles, ne recevant pas le moindre signe de vie de la part de leurs compagnons, étaient dans une telle surprise, qu'ils prirent la résolution de retourner tous à bord du vaisseau, pour y raconter que l'esquif était coulé à fond et que leurs camarades devaient être massacrés. Aussi les aperçûmes-nous lancer leur chaloupe en mer et y entrer tous.

A peine avaient-ils quitté le rivage, que nous les vîmes revenir, après avoir délibéré apparemment sur quelques nouvelles mesures pour trouver leurs compagnons; il en resta trois dans la chaloupe et les autres entrèrent dans le pays pour aller à la découverte.

Cependant, le mal était sans remède, d'autant plus que nous vîmes la barque s'éloigner du rivage et jeter l'ancre à quelque distance de là. Tout ce qui nous restait à faire, c'était d'attendre l'événement.

Les sept qui étaient débarqués se tenaient serrés en marchant de front du côté de la colline sous laquelle était mon habitation et nous pouvions les voir clairement sans être aperçus. Nous souhaitions bien qu'ils approchassent davantage, afin de faire feu sur eux, ou bien qu'ils s'éloignassent pour que nous puissions sortir de notre retraite sans être découverts.

Quand ils furent en haut de la colline, d'où ils pouvaient découvrir une grande partie des bois et des vallées de l'île, surtout du côté du nord-est, où le terrain est le plus bas, ils se mirent de nouveau à crier jusqu'à n'en pouvoir plus et, n'osant sans doute se hasarder à pénétrer dans le pays plus avant, ils s'assirent pour se consulter ensemble.

Après avoir attendu longtemps le résultat de leur délibération, nous les vîmes, à notre grand regret, se lever et marcher vers la mer : ils avaient, apparemment, une idée si affreuse des dangers qui les attendaient dans cet endroit, qu'ils étaient résolus, comptant leurs compagnons perdus sans ressource, de retourner à bord du vaisseau et de poursuivre leur voyage.

Le capitaine, voyant qu'ils s'en retournaient sérieusement, était au désespoir; mais je m'avisai d'un stratagème pour les faire revenir sur leurs pas : le succès répondit exactement à mes vues.

J'ordonnai au contremaître et à Vendredi de passer la petite baie du côté de l'ouest, vers l'endroit où j'avais sauvé ce dernier de la fureur de ses ennemis : je leur recommandai qu'aussitôt qu'ils seraient parvenus à quelque colline, ils se missent à crier de toutes leurs forces, qu'ils restassent là jusqu'à ce qu'ils fussent assurés d'avoir été entendus par les matelots et qu'ils poussassent un nouveau cri dès que les autres leur auraient répondu; qu'ensuite, se tenant toujours hors de la vue de ces gens, ils tournassent en cercle, en continuant de pousser des cris de chaque colline qu'ils rencontreraient, afin de les attirer par là bien avant dans les bois et qu'enfin ils revinssent à moi par les chemins que je leur indiquais.

Les rebelles mettaient justement le pied dans la chaloupe quand les nôtres poussèrent le premier cri. Ils l'entendirent d'abord et, courant vers le rivage du côté de l'ouest, d'où ils avaient entendu la voix, ils furent arrêtés par la baie qu'il leur fut impossible de passer à cause de la hauteur des eaux : ce qui les porta à y faire venir la chaloupe comme je l'avais prévu.

Quand elle les eut mis de l'autre côté, j'observai qu'ils la faisaient monter plus haut dans la baie, comme dans une bonne rade et qu'un des matelots en sortait n'y laissant que deux de ses compagnons qui attachèrent la barque au tronc d'un arbre.

C'était justement ce que je souhaitais; et, laissant Vendredi et le contremaître exécuter tranquillement mes ordres, je pris les autres avec moi et, faisant un détour pour venir de l'autre côté de la baie, nous surprîmes ceux de la chaloupe à l'improviste. L'un y était resté; nous trouvâmes l'autre couché sur le sable : le capitaine, qui était le plus avancé, sauta sur lui, lui cassa la tête d'un coup de crosse et cria ensuite à celui qui était dans l'esquif de se rendre, ou qu'il était mort. Il ne fallut pas beaucoup de peine pour l'y résoudre; il se voyait arrêté par cinq hommes, son camarade était assommé et d'ailleurs c'était un de ceux dont le capitaine m'avait dit du bien; aussi ne se rendit-il pas seulement, mais encore il s'engagea avec nous et nous servit très fidèlement.

Pendant ce temps, Vendredi et le contremaître remplirent si bien leur mission, qu'en criant et en répondant aux cris des mutins, ils les menèrent de colline en colline, jusqu'à ce qu'ils furent sur les dents. Ils ne les laissèrent en repos qu'après les avoir attirés assez avant dans le bois pour qu'ils ne pussent regagner leur chaloupe avant qu'il fît tout à fait obscur.

Il n'est pas possible d'exprimer quel fut leur étonnement quand ils virent la marée écoulée, la chaloupe engagée dans le sable et sans garde.

Mes gens avaient grande envie de les attaquer tous ensemble; mais mon dessein était de les prendre à mon avantage, afin d'en tuer le moins qu'il me serait possible et de ne pas hasarder la vie d'un seul d'entre nous. Je résolus donc d'attendre, dans l'espérance qu'ils se sépareraient; et, pour qu'ils ne s'échappassent point, je fis approcher davantage mon embuscade et j'ordonnai à Vendredi et au capitaine de se traîner à quatre pieds, pour se placer aussi près d'eux qu'il serait possible sans se découvrir.

Ils n'avaient pas été longtemps dans cette position, quand le bosseman, chef principal de la mutinerie et qui se montrait dans son malheur plus lâche et plus désespéré qu'aucun autre, tourna ses pas de ce côté-là. Le capitaine était tellement animé contre ce scélérat, qu'il avait de la peine à le laisser approcher assez pour être sûr de ne pas le manquer : il se retint pourtant; mais, après s'être donné encore un peu de patience, il se lève tout à coup et fait feu dessus.

Le bosseman fut tué sur la place, un autre blessé dans le ventre, mais il n'en mourut que deux heures après et le troisième se sauva.

Au bruit de ces coups, j'avançai brusquement avec toute mon armée, qui consistait en huit hommes.

La nuit était fort obscure, de manière qu'il leur fut impossible de connaître notre nombre; en conséquence, j'ordonnai à celui que nous avions trouvé dans l'esquif et qui était alors un de mes soldats, de les appeler par leurs noms, pour savoir s'ils voulaient capituler; ce qui me réussit, comme il est aisé de le croire.

Il se mit donc à crier : « Thomas Smith ! Thomas Smith ! ». Celui-là répondit d'abord : « Est-ce toi, Jackson ? » car il le reconnut à la voix. « Oui, oui, repartit l'autre. — Au nom de Dieu, Thomas, mettez bas les armes et rendez-vous, ou vous êtes mort. »

« A qui faut-il nous rendre ? dit Smith; où sont-ils ? — Ils sont ici, répondit Jackson; c'est notre capitaine avec cinquante hommes, qui vous a cherchés déjà pendant deux heures. Le bosseman est tué, Guillaume Frie est blessé dangereusement; je suis prisonnier de guerre et si vous ne voulez pas vous rendre vous êtes tous perdus. »

Ils mirent les armes bas, demandant la vie. J'envoyai Vendredi et deux autres pour les lier tous; ensuite ma grande armée prétendue de cinquante hommes, qui réellement n'était que de huit, s'avança et se saisit d'eux et de leur chaloupe. Pour moi, je me tins à l'écart avec un seul des miens, pour raison d'Etat.

Ils parurent tous fort repentants et demandèrent la vie d'un air très soumis. Le capitaine répondit qu'ils n'étaient pas ses prisonniers, mais ceux du gouverneur de l'île. « Vous avez cru, continua-t-il, me reléguer dans une île déserte; mais il a plu à Dieu de vous diriger d'une telle manière que cet endroit se trouve habité et même gouverné par un Anglais. Ce gouverneur est le maître de vous perdre tous; mais, vous ayant donné quartier, il pourrait bien vous envoyer en Angleterre pour être livrés entre les mains de la justice. »

J'ordonnai alors qu'on fît venir le capitaine, et là-dessus un de mes gens, qui était à quelque distance de moi, se mit à crier : « Capitaine, le gouverneur veut vous parler. — Dites à Son Excellence, répondit d'abord le capitaine, que je vais à elle dans le moment ». Ils donnèrent dans le piège à merveille et ne se doutèrent pas un moment que le gouverneur ne fût près de là avec ses cinquante soldats.

Quand le capitaine fut venu, je lui communiquai le dessein que j'avais formé pour nous emparer du vaisseau. Il l'approuva fort et résolut de le mettre à exécution le lendemain. Pour nous y prendre d'une manière plus sûre, je crus qu'il fallait séparer nos prisonniers et j'ordonnai au capitaine et à deux compagnons de saisir deux criminels de la troupe, pour les mener dans la grotte, où il y en avait déjà deux autres et qui certainement n'était pas un lieu fort agréable, surtout pour des gens effrayés.

J'envoyai le reste à ma maison de campagne, qui était entourée d'un enclos; et comme ils étaient garrottés et que leur sort dépendait de leur conduite, je pouvais être sûr qu'ils ne m'échapperaient pas.

Ce fut à ceux-là que j'envoyai le lendemain le capitaine pour tâcher d'approfondir leurs sentiments et pour voir s'il était prudent de les employer dans l'exécution de notre projet. « Si vous voulez me promettre de m'aider fidèlement dans une entreprise aussi juste que celle de m'emparer de mon vaisseau, le gouverneur s'engagera formellement à obtenir votre pardon », dit-il.

On peut juger quel effet une pareille proposition devait produire sur ces malheureux. Ils se mirent à genoux devant le capitaine et lui promirent, avec les plus horribles imprécations qu'ils le considéreraient toujours comme leur père, puisqu'ils lui seraient redevables de la vie.

« Eh bien, dit le capitaine, je m'en vais communiquer vos promesses au gouverneur et je ferai tous mes efforts pour vous le rendre favorable ». Il me vint rapporter leur réponse, en ajoutant qu'il ne doutait pas de leur sincérité.

Cependant, afin de ne rien négliger pour notre sûreté, je le priai de retourner et de leur dire qu'il consentait à en choisir cinq d'entre eux pour les employer dans son entreprise; mais le gouverneur garderait comme otages les deux autres, avec les trois prisonniers qu'il avait dans son château et qu'il ferait pendre sur le bord de la mer ces cinq otages si leurs camarades étaient assez perfides pour manquer à leurs serments.

Il y avait là un air de sévérité qui faisait voir que le gouverneur ne badinait pas. Les cinq dont il s'agissait acceptèrent ce parti avec joie et c'était autant l'intérêt des otages que du capitaine de les exhorter à faire leur devoir.

La seule chose qui restait encore à faire au capitaine pour le mettre en état d'exécuter son dessein, c'était de gréer les deux chaloupes et de les équiper. Dans l'une il mit son passager pour capitaine avec quatre hommes. Il monta lui-même dans l'autre avec le contremaître et cinq autres matelots; et il conduisit parfaitement son entreprise.

Il était environ minuit quand il découvrit le vaisseau et dès qu'il l'aperçoit à portée de la voix, il ordonne à Jackson de crier et de dire à l'équipage qu'ils amenaient la première chaloupe avec les matelots, mais qu'ils avaient été longtemps avant de les trouver. Jackson amusa les mutins de ces discours et d'autres semblables jusqu'à ce que l'esquif fût sous le navire. Le capitaine et le contremaître y montèrent les premiers avec leurs armes; ils assommèrent d'abord à coup de crosse le second-maître et le charpentier; et, fidèlement secondés par les autres, ils se rendirent maîtres de tout ce qu'ils trouvèrent sur les ponts. Ils étaient déjà occupés à fermer les écoutilles, afin d'empêcher ceux d'en bas de venir au secours de leurs camarades, lorsque les gens de la seconde chaloupe montèrent du côté de la proue, nettoyèrent tout le château d'avant et s'emparèrent de l'écoutille qui menait à la chambre du cuisinier, où ils firent prisonniers trois des mutins.

Ainsi maître de tout le tillac, le capitaine commanda au contremaître de prendre trois hommes avec lui et de forcer la chambre où était le nouveau commandant. Celui-ci ayant pris l'alarme, s'était levé et, assisté de trois matelots, s'était saisi d'armes à feu. Dès que le contremaître eut ouvert la porte par le moyen d'un levier, ces quatre rebelles firent feu sur lui et ses compagnons sans en tuer un seul; mais ils en blessèrent deux légèrement et cassèrent un bras au contremaître qui ne laissa pas, tout blessé qu'il était, de brûler la cervelle au nouveau capitaine d'un coup de pistolet. La balle lui entra dans la bouche et sortit derrière l'oreille; ses compagnons le voyant mort, prirent le parti de se rendre. Le combat finit là et le capitaine recouvra son vaisseau sans être obligé de répandre plus de sang.

Il m'instruisit d'abord du succès de son entreprise en faisant tirer sept coups de canon; ce qui était le signal dont nous étions convenus ensemble.

Dès que je fus sûr de cette heureuse nouvelle, je me mis au lit; et, m'étant extrêmement fatigué le jour précédent, je dormis profondément jusqu'à ce que je fusse réveillé par un nouveau coup de canon : à peine me fus-je levé pour en apprendre la cause, que je m'entendis appeler par mon titre de gouverneur. Je reconnus d'abord la voix du capitaine; et dès que je fus monté au haut du rocher, où il m'attendait, il me serra dans ses bras de la manière la plus affectueuse et, tendant la main vers le vaisseau : « Mon cher ami, me dit-il, mon cher libérateur, voilà votre vaisseau; il vous appartient aussi bien que nous et tout ce que nous possédons. »

Je considérai alors ma délivrance comme assurée. Les moyens en étaient aisés : un bon vaisseau m'attendait pour me conduire où je jugerais à propos. Mais j'étais tellement saisi de joie que me donnait un bonheur si inespéré, que je fus longtemps hors d'état de prononcer une parole et je me serais évanoui si les embrassements du capitaine ne m'eussent soutenu.

Me voyant près de tomber en faiblesse, il me fit prendre un verre de liqueur cordiale, qu'il avait apportée exprès pour moi. Après avoir bu, je me mis à terre, je revins à moi peu à peu; mais je fus encore assez longtemps avant de pouvoir parler.

Après des félicitations mutuelles, le capitaine me dit qu'il avait apporté quelques rafraîchissements, tel qu'un vaisseau en pouvait fournir et surtout un vaisseau qui venait d'être pillé par des mutins. Là-dessus il cria aux gens de la chaloupe de mettre à terre les présents destinés au gouverneur : et en vérité c'était un vrai présent pour un gouverneur et un gouverneur qui devait rester dans l'île et non près de s'embarquer comme c'était ma résolution.

Ce présent consistait en un petit cabaret rempli de quelques bouteilles d'eau cordiale, six bouteilles de vin de Madère, chacune de deux bonnes pintes, deux livres d'excellent tabac, deux grandes pièces de bœuf, six pièces de cochon, un sac de pois et environ cent livres de biscuit. Il y avait, en outre, une boîte de sucre et une autre remplie de muscade, deux bouteilles de jus de limon et un grand nombre d'autres choses utiles et agréables. Mais ce qui me fit infiniment plus de plaisir, c'étaient six chemises toutes neuves, autant de cravates fort bonnes, deux paires de gants, une paire de souliers, une paire de bas, un chapeau et un habit complet tiré sur sa propre garde-robe et qu'il n'avait guère porté. En un mot, il m'apporta tout ce qu'il me fallait pour m'équiper.

Je fis porter tous ces présents dans ma demeure et je me mis à délibérer avec le capitaine sur ce que nous devions faire de nos prisonniers : la chose en valait la peine, surtout à l'égard des deux chefs des mutins, dont nous connaissions la méchanceté incorrigible.

J'envoyai là-dessus Vendredi et deux des otages que je venais de mettre en liberté parce que leurs compagnons avaient fait leur devoir; je les envoyai, dis-je, à la grotte pour amener les cinq matelots garrottés à ma maison de campagne et pour les y garder jusqu'à mon arrivée.

Je me fis d'abord amener les prisonniers et je leur dis, avec un air de sévérité que j'étais parfaitement instruit de leur conspiration contre le capitaine et des mesures qu'ils avaient prises ensemble pour commettre des pirateries avec le vaisseau dont ils s'étaient emparés; mais que, par bonheur, ils étaient tombés eux-mêmes dans l'abîme qu'ils avaient creusé pour les autres, puisque le vaisseau venait d'être recouvré par ma direction, et qu'ils verraient dans le moment leur prétendu capitaine, pour prix de sa trahison, pendu à la grande vergue; que, quant à eux, je voudrais bien savoir quelles raisons assez fortes ils avaient à m'alléguer pour m'empêcher de les punir, comme j'étais en droit de le faire, en qualité de pirates pris sur le fait.

Un d'eux me répondit qu'ils n'avaient rien à dire en leur faveur, sinon que le capitaine, en les prenant, leur avait promis la vie, et qu'ils demandaient grâce. Je leur répartis que je ne savais pas trop bien quelle grâce j'étais en état de leur faire, puisque j'allais quitter l'île et m'embarquer pour l'Angleterre, et qu'à l'égard du capitaine, il ne pouvait les emmener que garrottés et dans le dessein de les livrer à la justice comme mutins et comme pirates, ce qui les conduirait tout droit à la potence; qu'ainsi je ne trouvais pas de meilleur parti pour eux que de rester dans l'île, que j'avais la permission d'abandonner avec tous mes gens; et que j'étais assez porté à leur pardonner s'ils voulaient se contenter du sort qu'ils pouvaient s'y ménager.

Je le fis comme je l'avais dit, et, leur ayant ôté les liens, je leur dis de gagner les bois, et je leur promis de leur laisser des armes à feu, des munitions, et les instructions nécessaires pour vivre à leur aise s'ils voulaient les suivre. Ensuite je communiquai au capitaine mon dessein de rester encore cette nuit dans l'île, afin de préparer tout pour mon voyage, et je le priai de retourner cependant au vaisseau pour y tenir tout en ordre, et d'envoyer le lendemain sa chaloupe. Je l'avertis aussi de ne pas manquer de faire pendre à la vergue le nouveau capitaine qui avait été tué, afin que nos prisonniers pussent l'y voir.

Dès que le capitaine fut parti, je les vis venir à mon habitation, et j'entrai dans une conversation très sérieuse touchant leur situation.

Quand je les vis déterminés à rester dans l'île, je leur donnai tous les détails nécessaires sur la manière de faire du pain, d'ensemencer les terres et de sécher les raisins; en un mot, je les instruisis de tout ce qui pouvait leur rendre la vie agréable et commode. Je leur parlai encore des seize Espagnols qu'ils devaient attendre, et pour lesquels je leur laissai une lettre, en leur faisant promettre de vivre avec eux en bonne amitié.

Le jour d'après je les quittai, et je m'embarquai; mais nous ne pûmes faire voile ce jour-là ni la nuit suivante. Il était environ cinq heures du matin quand nous vîmes deux de ceux que nous avions laissés dans l'île venant à la nage, et priant, au nom de Dieu, qu'on leur permît d'entrer dans le vaisseau, quand ils devraient être pendus un quart d'heure après, puisque certainement les trois autres scélérats les massacreraient s'ils restaient parmi eux.

Le capitaine fit quelques difficultés de les recevoir, sous prétexte qu'il n'en avait pas le pouvoir sans moi; mais il se laissa gagner à la fin par les belles promesses qu'ils lui firent de se bien conduire, et effectivement ils devinrent de fort braves garçons.

C'est ainsi que j'abandonnai mon île, le 19 décembre de l'an 1686, selon le calcul du vaisseau, après un séjour de vingt-huit ans, deux mois et dix-neuf jours, délivré de cette triste vie le même jour que je m'étais échappé autrefois de la captivité des Maures de Salé. Mon voyage fut heureux; j'arrivai en Angleterre le 11 juin de l'an 1687, après avoir été hors de ma patrie trente-cinq ans.

Quand j'arrivai dans mon pays natal, je m'y trouvai aussi étranger que si jamais je n'y eusse mis les pieds. Ma fidèle gouvernante, à qui j'avais confié mon petit trésor, vivait encore; mais elle avait été éprouvée par de grands malheurs et elle était devenue veuve pour la seconde fois.

J'allai ensuite dans la province d'York; mais mon père et ma mère étaient morts et ma famille était éteinte, excepté deux sœurs et deux enfants d'un de mes frères; et comme depuis longtemps je passais pour défunt on m'avait oublié dans le partage des biens, de manière que je n'avais d'autre ressource que mon petit trésor, qui ne suffisait pas pour me procurer un établissement.

Je m'embarquai pour Lisbonne et j'y arrivai au mois de

septembre suivant, avec Vendredi, qui m'accompagnait dans toutes mes courses et qui me donnait de plus en plus des marques de son attachement et de sa probité.

Arrivé dans cette ville je trouvai, après plusieurs perquisitions, à mon grand contentement, le vieux capitaine qui me reçut dans son vaisseau en pleine mer, quand je me sauvai des côtes de Barbarie.

Il était fort veilli et il avait abandonné son état, après avoir mis à sa place son fils, qui dès sa première jeunesse l'avait accompagné dans ses voyages et qui continuait pour lui son négoce au Brésil. Je le reconnus à peine et il fit de même à mon égard; mais en lui disant qui j'étais une reconnaissance mutuelle eut bientôt lieu.

Il m'assura en même temps que l'intendant des revenus du roi, par rapport aux biens immeubles et celui du monastère avaient eu grand soin de tirer de mon associé, tous les ans, un compte fidèle du revenu total, dont ils recevaient toujours la juste moitié.

Je lui demandai s'il croyait que ma plantation se fût assez accrue pour valoir la peine d'y jeter les yeux, et si je ne trouverais point de difficulté pour me remettre en possession de la juste moitié.

Il me répondit qu'il ne pouvait me dire exactement jusqu'à quel point ma plantation s'était augmentée; ce qu'il savait c'est que mon associé était devenu extrêmement riche en jouissant de sa moitié et que le tiers de ma portion, qui avait été au roi et ensuite donné à quelque autre monastère, allait au-delà de 200 moïdores, qu'au reste il n'y avait point de doute qu'on ne me remît en possession de mon bien, puisque mon associé, vivant encore, pouvait certifier mes droits et que mon nom était placé sur la liste de ceux qui avaient des plantations dans ce pays. Il m'assura de plus que les successeurs de mes facteurs étaient de fort honnêtes gens et très à leur aise, lesquels non seulement pouvaient m'aider à rentrer dans la possession de mes terres, mais devaient encore avoir en main, pour mon compte, une bonne somme amassée du revenu de ma plantation pendant que leurs pères en avaient soin et avant que, faute par moi de comparaître, le roi et le monastère dont j'ai parlé se fussent approprié ledit tiers, ce qui était arrivé il y avait environ douze ans.

A ce récit, je parus un peu mortifié et je demandai à mon vieil ami comment il était possible que mes facteurs eussent ainsi disposé de mes effets, tandis qu'ils savaient que j'avais fait un testament en sa faveur où je l'instituais mon héritier universel.

Il me dit que rien n'était plus vrai, mais que, n'ayant point de preuve de ma mort, il n'avait pas été en état d'agir en qualité d'exécuteur testamentaire et que d'ailleurs il n'avait pas trouvé à propos de se mêler d'une affaire si embarrassée; que cependant il avait fait enregistrer ce testament et qu'il s'en était mis en possession; que s'il avait pu donner quelque assurance de ma mort ou de vie, il aurait agi pour moi, comme par procuration et se serait emparé de la fabrique de sucre et que même il avait donné ordre à son fils de le faire en son nom.

« Mais, ajouta le bon vieillard, j'ai une autre nouvelle à vous donner qui ne vous sera peut-être pas si agréable, c'est que, tout le monde vous croyant mort, votre associé et vos facteurs, m'ont offert de s'accommoder avec moi par rapport au revenu des sept ou huit premières années, lequel j'ai effectivement reçu. Cependant, continua-t-il, ces revenus n'ont pas été grand-chose alors, à cause des grands déboursés qu'il a fallu faire pour augmenter la plantation, bâtir la fabrique et acheter des esclaves. Je vous rendrai, néanmoins, un compte fidèle de tout ce que j'ai reçu et de l'usage que j'en ai fait. »

Cet honnête vieillard se mit alors à se plaindre de ses désastres, qui l'avaient obligé à se servir de mon argent pour acquérir quelque portion dans un autre vaisseau.

« Cependant, mon cher ami, continua-t-il, vous ne manquerez point de ressources dans votre nécessité et vous serez pleinement satisfait dès que mon fils sera de retour. »

Là-dessus il tira un vieux sac de cuir et me donna 160 moïdores, avec le titre qu'il avait écrit de son droit dans le chargement du vaisseau que son fils avait conduit au Brésil et où il avait un quart et son fils un autre. Il me remit tous ces papiers pour ma sûreté.

Je pris sous ma tutelle mes deux neveux; l'aîné avait quelque bien, ce qui me détermina à l'élever avec distinction, et à faire en sorte qu'après ma mort il pût soutenir la manière de vivre que je lui faisais prendre. Pour l'autre, je le confiai à un capitaine de vaisseau, et le trouvant, après cinq années de voyage, sensé, courageux et entreprenant, je lui confiai le gouvernement d'un vaisseau.

Je me mariai d'une manière avantageuse, et je devins père de trois enfants, savoir deux garçons et une fille; alors je goûtai les douceurs de la vie de père de famille, dont je m'étais cru privé à jamais. Je reconnus alors, mieux que je n'avais encore pu le faire, combien mon vénérable père avait eu raison de me vanter les plaisirs purs d'une condition moyenne, et les jouissances de la vie privée.

Editions Hemma - Belgique
N° d'impression: 385.283

Imprimé en Italie Février 83
Edition Février 83